Black Messie

DU MÊME AUTEUR

La douceur des hommes, *roman, Stock, 2005; Le Livre de Poche, 2007*
Étoiles, nouvelle, *Flammarion, 2006; Le Livre de Poche, 2008*
Col de l'Ange, *roman, Stock, 2007; Le Livre de Poche, 2009*
Les mains nues, *roman, Stock, 2009; Le Livre de Poche, 2010*
Dolce Vita 1959-1979, *roman, Stock, 2010; Le Livre de Poche, 2012*
L'odeur du figuier, *nouvelles, Flammarion, 2011; Le Livre de Poche, 2012*
L'homme qui aimait ma femme, *roman, Stock, 2012; Le Livre de Poche, 2014*
Nina (*avec Frédéric Lenoir*), *roman, Stock, 2013; Le Livre de Poche, 2014*
Les nouveaux monstres 1978-2014, *roman, Stock, 2014; Le Livre de Poche, 2015*
Femmes de rêve, bananes et framboises, *nouvelles, Flammarion, 2015*

Simonetta Greggio

Black Messie

roman

Stock

Couverture Coco bel œil
Illustration de couverture : *Le Printemps* (détail du visage de Chloris), Sandro Botticelli, 1482 © Electa/Leemage

ISBN 978-2-234-07990-8

Aussitôt un homme sorti des sépulcres, ayant vu Jésus de loin, accourut et se prosterna; et criant à haute voix, il dit: Je t'adjure par Dieu de ne me point tourmenter. Et Jésus lui demanda: Quel est ton nom? Et il dit: Mon nom est Légion, car nous sommes nombreux. Alors les démons le prièrent, disant: Envoie-nous dans les pourceaux, afin que nous entrions en eux. Et il le leur permit. Et les esprits impurs entrèrent dans les pourceaux, et le troupeau s'élança avec impétuosité en bas de la pente au nombre d'environ deux mille, et ils furent noyés dans la mer.

Nouveau Testament, Marc, 5

On naît avec des ailes
ou pas

À mes amies
Tendres guerrières

Le cadavre fendu d'un coup de lame s'ouvrit, les bandeaux pourpres voltigèrent comme des pétales de rose fanés. Plus tôt, la pluie était tombée, couchant les herbes raides de sang séché.

Dans la nuit le vent s'était levé. À l'aube, il roulait en boule les buissons épineux et repoussait les nuages, soulignant les crêtes à la craie. Les rafales faisaient danser les chevelures pendues aux branches des chênes rabougris. Des chiens pleuraient; les hyènes, yeux brillant dans l'ombre, ricanaient.

Du feu de genévrier naquit une vapeur amère qui piquait la gorge et montait dans l'air pur. Les battements sourds des tambours s'élevaient dans la vallée. Longuement, on murmura à l'oreille du défunt le chemin pour s'en aller sans se retourner. Lorsque les quatre éléments s'échappèrent en fumée du fourreau de peau déchiré, les corbeaux penchèrent la tête, sautillant sur les branches chevelues. Les hurlements reprirent. Deux vautours vinrent se poser près de la dépouille, ailes repliées. Les chiens sauvages approchèrent.

Après la verge, puis les testicules, amputés d'une torsion du poignet, les jambes et les bras furent découpés à l'aide d'un couteau dentelé. La cage thoracique écartelée à mains nues dévoilait un cœur noir. Le ventre lâcha sa guirlande d'intestins et les vautours tendirent le cou. Sur le moignon de la colonne vertébrale la tête oscillait, oreilles tranchées. Déposée entre deux rochers, la coque d'os se brisa d'un coup sec qui fit vibrer la terre. Le cerveau se répandit sur le sol fendillé. L'Ashireon s'écarta, donnant le signal de la curée. Les clochettes d'argent cousues aux lambeaux écarlates du linceul tintaient dans le chaos des becs acérés. L'Ashireon se retourna et lança la chevelure noire dans l'arbre le plus proche. Elle y resta accrochée près d'autres chevelures plus anciennes, striées d'un gris devenu vert au soleil et à la pluie.

Les tambours s'étaient tus. Dans les profondeurs du Temple de Cristal, les dragons nageaient sans bruit. Deux tourterelles lancèrent leur cri désolé. Et sur la terre glabre, un ciel plus grand que toutes les prières grava le sceau de sa beauté, horizons glacés.

Une étoile solitaire tremblait aux confins du monde.

Premier meurtre

Florence, 1er juin, 2 heures du matin. Clopes fumées à la fenêtre, partie de poker qui s'éternise dans un coin. Fatigue et ennui. Numéro d'urgence 112, six fois. La mort, la mort, la mort, la mort, la mort, la mort anonyme au bout du fil.

Et c'est parti.

L'ordre d'intervention fut transmis à la cellule d'alerte de la station des carabiniers. Quatre hommes en uniforme, Beretta au ceinturon, s'entassèrent dans une Alfa Romeo, gyrophare muet. Plaisanteries grivoises. Des rires. La peur. Ce genre de chose n'arrive pas, pas en Toscane, sur ces douces collines où l'on tourne la publicité des petits-déjeuners heureux. Pourtant c'était déjà arrivé : le Monstre, trente ans auparavant, avait vu son surnom s'étaler en lettres capitales dans le monde entier. Seize morts, des couples assassinés pendant leurs ébats amoureux.

Le plus jeune de la brigade, Nino, avait vingt-quatre ans, le plus vieux – le capitaine –, cinquante-six. Jacopo D'Orto se tenait au bord de la retraite comme on se tient au bord d'un ruisseau bouillonnant de truites. Pêcher était sa seconde passion. La première s'appelait Anna, Tosca et Lucia. Ses trois filles pour lesquelles il se serait laissé découper en morceaux en chantant des hymnes à la gloire de Dieu.

Les hommes de Jacopo durent abandonner leur voiture pour entrer dans les fourrés. Ils marchèrent en rang serré sur des chemins talqués de poussière, traversèrent des vallons plantés de vignes et d'oliviers, dérangeant un nid de cailles, une famille de chevreuils et deux renardeaux. Il n'avait pas plu de tout le printemps mais une source cachée embrumait l'air de ce fond de tableau de maître. Le clapotis de l'eau se mêlait au souffle de la brise. L'aube s'annonçait.

Le premier policier qui déboucha dans la clairière du lieudit Santospirito s'arrêta net ; le deuxième buta contre son large dos. Pour garder l'équilibre, il pivota et agrippa la chemise du troisième. Dans ces bois de chênes verts, sous un ciel de lune noire, les hommes se regroupèrent. Nino s'écarta. On l'entendit vomir. Il se nettoya la bouche du dos de la main et embrassa la scène d'un coup d'œil avide. Et honteux. Son sexe tendait son caleçon moite de sueur.

Oh, mon garçon, oh, ne me regarde pas comme ça, j'ai honte, j'ai froid, ne me regarde, me regarde pas.

Dans le faisceau des lampes torches, des dizaines d'insectes ondoyaient en aurores boréales. La clairière palpitait d'un vol de lucioles, mais les carabiniers ne faisaient pas un geste pour les chasser. Bras ballants, ils se tenaient là, sidérés. Caressant leur arme lourde. *Baissez vos regards, ils me brûlent, couvrez-moi, j'ai honte, j'ai froid.* La jeune fille, yeux fixes, les scrutait. Nue, crucifiée sur une croix en X plantée au milieu de la trouée, elle inclinait son visage supplicié vers eux, bras et jambes écartés.

Les hommes ne bougeaient pas, fascinés par les seins striés de rouge et le buisson sombre entre les cuisses masquant à peine le sexe qu'ils apercevaient, béant, au niveau de leurs têtes levées. Les longs cheveux de la morte flottaient sur la croix, frôlant la peau blanche piquetée de grains de beauté. Les doigts d'un des hommes se tendirent vers ses pieds. D'une voix enrouée, Jacopo donna des ordres. Et la fille tomba dans ses bras comme une marionnette désarticulée.

Aie pitié, capitaine. Couvre-moi.

Une rose sortit de la bouche de la crucifiée et roula aux pieds de Jacopo, qui se pencha pour la ramasser. Il n'en fit rien. Il attendit que ses larmes cessent, accroupi près de la morte, main tendue vers la fleur flétrie.

Miles

Université de Louisiane à Lafayette. Sienna avait vingt et un ans, moi quarante-cinq. Elle étudiait les mathématiques pures, je suis professeur de littérature américaine. J'étais marié avec Nonnie, et je l'aimais. Nous avions un enfant, Indiana, sept ans.

Je ne voulais pas d'un fils. Les petits garçons grandissent et deviennent footballeurs, prédicateurs, dictateurs. Je ne désirais pas mettre au monde un homme de plus. Au mieux, je m'en méfie. Au pire, je les exècre. Quand Nonnie est tombée enceinte j'ai eu peur. Mais dès la naissance d'Indiana j'ai su que tout changeait. Un coup de foudre pour quelqu'un qui les redoutait plus que tout, déjà brûlé vif. Un type qui se connaissait.

Mon amour pour Nonnie était beau et stable, croyais-je. Tous les matins je rendais grâce à Dieu en me réveillant près d'elle. *Démons en laisse, chiens noirs passant leur chemin.* Il est facile de ne pas céder à la tentation quand on n'est pas tenté. Ma femme n'a rien soupçonné. Je ne sais pas comment j'ai réussi à lui cacher Sienna. Au début.

Je plaisantais avec un collègue sur le campus de l'université de Louisiane, où nous habitions alors. Nous revenions d'un conseil de professeurs, il m'a invité à boire un verre avant de rentrer.

Il me l'a présentée dans la cafétéria. « L'une de mes élèves les plus douées, a-t-il dit. – L'une des plus jolies aussi », ai-je ajouté. Je m'apprêtais à lui serrer la main et à l'oublier. Au lieu de ça, j'ai eu droit à la meilleure séance de baise de ma vie. À l'arrière de sa voiture, quelques heures après. Ensuite, elle m'a raccompagné chez moi. Nonnie dormait, toutes lumières éteintes. Seule une lampe restait allumée dans mon bureau. Je suis monté à l'étage. J'ai pris une douche. Je me suis branlé dans le noir, la queue écorchée, retrouvant l'odeur de Sienna sur ma peau.

Ma fille était dans sa chambre, porte ouverte. Je suis entré. Elle était ensevelie sous un fouillis d'oreillers. J'ai rabattu ses draps, ôté des coussins et me suis assis par terre, parmi les peluches tombées. Et j'ai pleuré.

Dans le silence de mes nuits, ma femme me parle tout bas. Punition et rédemption. Elle murmure, m'effleure, me quitte, revient, souffle glacé, me réveille quand je dors, me berce contre son cœur pour me rendormir et recommencer à me torturer. Rédemption et punition. Ça fait dix ans que l'histoire avec Sienna est finie. Dix ans que Nonnie est partie. Pour ma fille et moi, il n'y avait plus de place chez nous, en Louisiane. J'avais perdu mon travail. Mes amis. Même mes connaissances m'évitaient dans la rue. J'ai vendu notre maison, et nous avons erré. D'abord au hasard, Toronto, Québec. Mais aussi Maine et Vermont, où j'ai failli devenir fou de tristesse et d'ennui. Je m'en fichais. Seulement à moitié vivant, je laissais filer. Puis Indiana a réclamé que nous choisissions enfin un endroit où s'installer « pour de bon ». Où elle aurait le droit de se faire des copains qu'elle ne serait pas obligée de quitter au bout de six mois. J'ai dit, « D'accord. » Pensé que, peut-être, la culpabilité ne me suivrait pas de l'autre côté de l'océan. Les murmures. Les ombres dans la nuit. J'ai postulé en Espagne, en Grèce, en Hongrie, partout où des universités cherchaient des professeurs de littérature américaine correspondant à mon profil. La meilleure proposition est venue de la faculté de Florence. J'ai inscrit ma fille à la première année de *ginnasio* et démarré mes cours.

La langue italienne dans laquelle nous nous sommes immergés nous a sauvés de la nôtre, où les mots étaient comme des grenades prêtes à exploser.

Mais on dirait que la faute vous suit. On paye tout. Où qu'on soit, quoi qu'on ait fui, ça ne s'arrête jamais. Punition, rédemption.

Expiation.

H.S.

Je regarde les dernières photos de maman. Son visage d'enfant confiant, candide et doux. Je me demande comment elle se débrouillait, tout le monde tombait fou amoureux d'elle, partout où elle allait. Dès qu'elle a su que j'arrivais, elle a préparé mon trousseau, à Londres où elle travaillait à ce moment-là, mes layettes et mes vêtements de bébé et mes coiffes en dentelle, et elle a acheté mes draps, mes coussins, mes jouets. Elle était fière, elle parlait sans cesse de ma venue. Le 8 août, son meilleur ami l'a photographiée avec son yorkie Prudence en train de pique-niquer, puis pendant qu'elle arrosait la pelouse ; elle avait mouillé ses pieds.

Vous êtes drôles, tous. Vous allez finir par me faire mourir de rire. Vous regardez trop la télévision, mais l'Italie, ce n'est pas les États-Unis : nous sommes en queue de peloton, les ders des ders au royaume des cieux. Pas de base de données ADN chez nous, merveille de l'art et de la science, le pied ! Je peux décharger dans toutes ces connes si je veux, dans leur chatte et leur cul, leur cracher dessus, me branler sur leurs nichons, leur bouche et leurs cheveux, elles peuvent me griffer et essayer de m'arracher les yeux, les petites chéries : pas de base ADN. Les bonnes âmes ne veulent pas qu'on répertorie les criminels, plus soucieuses de la privacy *– à l'époque de Facebook, ah, ah, ah ! – que de la quête de vérité. Oh, mes enfants, un hourra pour le pays de la* Dolce Vita *et de* L'Avventura. *On applaudit des deux mains.*

Tout ça, c'est pour toi, ma petite maman, ma princesse de conte de fées. Et pour toi aussi, mon pauvre papa injustement emprisonné. Je suis votre enfant qui vous aime. Vous me manquez tellement, tous les deux.

J'aurai la Vierge noire. La Niger Regin. La princesse au sang doré. C'est elle l'élue, la récompense pour tant de services rendus. La fin, et le début. Elle était espérée. Elle dépasse toutes les attentes. Un peu de patience. Je vais vous niquer en attendant. M'entraîner. Me préparer. Faire monter. Baiser vos filles, recueillir leur dernier soupir. Je les caresserai. Elles me donneront leur corps, leur esprit. Je serai leur premier amant. Et le dernier.

Oh oui, vous allez m'adorer !

Jacopo

Florence. Borgo Ognissanti. *Comando centrale* des carabiniers.

– Tu faisais partie de la SAM, la brigade anti-Monstre, n'est-ce pas, capitaine ?

Le général de brigade Mattotti, dit « la Limace », leva à peine la tête lorsque Jacopo D'Orto entra dans son bureau. Ni bonjour ni comment ça va, rien qu'un coup d'œil en biais, et cette question qui n'attendait pas de réponse. Restant debout, le capitaine le toisa de haut en bas. Sur le crâne d'œuf de Silvano Mattotti les cheveux poussaient par touffes. *Comme l'herbe folle dans une prairie.* Jacopo fixa la chemise empesée de son supérieur, la cravate bleu roi, le pantalon bien coupé. Ses dents trop blanches, sa peau de bébé. Ses mains manucurées, ongles polis et limés. Pensant pour la énième fois que son supérieur était vilain, qu'il se malaxait les couilles en public et que son bureau sentait le pet froid. Perdu dans ses pensées jusqu'à ce que Mattotti claque des doigts :

– Hé, capitaine, tu es toujours là ?

– Oui, *dottore*.

– Appartenir à la brigade anti-Monstre était un honneur. Mais, mon pauvre capitaine, il faut croire que tu as perdu la main depuis.

Un silence. Puis Jacopo demanda :

– La fille crucifiée, on sait qui c'est ?

– À tous les coups, une tapineuse du Lungarno. Ou de Novoli.

La bouche de Mattotti se contracta et il mordit les quelques poils échappés au rasage du matin sous sa lèvre inférieure, après quoi il reprit d'un ton plus bas :

– Tu te souviens du premier principe à respecter sur une scène de crime, capitaine ? Les poings dans les poches, les gars. Vous avez foiré le coup en beauté, tes bonshommes et toi. Qui t'a donné l'ordre de toucher au corps avant l'arrivée du médecin légiste ? De la brigade scientifique ?

– J'ai cru qu'elle était encore vivante.

– Il n'y a pas que la scène du crime qui est cramée. Ton cerveau aussi, mon pauvre vieux.

La prochaine fois que tu me traites de « pauvre vieux », je t'éclate ton râtelier à un million de dollars. Puis je pars pêcher dans le Montana avec une squaw qui m'apprendra la langue cheyenne avec les mains.

– Ma décision a été prise dans l'urgence, *dottore*. La fille…

– … était morte, capitaine. Les risques du métier, comme on dit.

Sans les putes, tu n'aurais pas tiré ton coup depuis longtemps. Tu devrais les remercier. Espèce. De. Connard. Prétentieux.

– Elle était très jeune, *dottore*. Et n'avait rien d'une prostituée. Ni d'une droguée. Pas de marques de piqûres, sur les bras ou ailleurs.

– C'est vrai que tu as eu le temps de la mater en avant-première, capitaine. Et de la tripoter aussi.

Tout est abject aux yeux des abjects.

– Fais-moi plaisir, tu veux ? Sors de cette pièce avant que je propose ta mise à la retraite anticipée.

Il baissa le regard sur ses papiers tandis que Jacopo continuait de l'observer, grinçant des dents sans s'en apercevoir. Mattotti chercha un truc cinglant à balancer au capitaine, renonça, et finit par lâcher :

– Ne ferme pas la porte. Je veux voir ta brigade, à commencer par le dégueuleur. On l'a ramassé où, celui-là ? Il fait partie d'un quota ou quoi ?

Jacopo ne partait toujours pas. Mattotti le dévisagea, ironique, mais avant qu'il ouvre de nouveau la bouche le capitaine dit :

– Pourquoi vous avez parlé du Monstre, tout à l'heure ?

– Parce que, dès qu'il se passe un truc dans cette ville, il y a un con de journaleux qui me tombe dessus, « Est-ce que le Monstre est revenu ? » Bon, tu bouges maintenant ? J'ai pas toute la journée, capitaine.

Jacopo sortit. Dans la salle d'attente il fit signe à Nino. Le jeune carabinier lui lança un regard affolé auquel il ne répondit pas. Nino était le meilleur geek du service, la Limace pouvait toujours l'emmerder, on avait besoin de lui et il le savait. Nino entra dans le bureau de Mattotti en traînant les pieds. Dans un geste qui lui était familier, Jacopo se passa les doigts sur les sourcils et se massa le milieu du front. Son troisième œil, disait Anna, sa fille aînée. Un frisson courut le long de sa colonne vertébrale et une sueur froide inonda sa nuque malgré la douceur de l'air. La morte devait avoir dix-sept ans, dix-huit maximum. Le même âge que sa cadette, Lucia.

Jacopo souffla. Ses hommes allaient passer un mauvais quart d'heure par sa faute. Francesco, chauve et tatoué, « tatouages maoris, capitaine, des vrais de vrais », cachés par l'uniforme, Dieu merci, et Alessandro, champion de culturisme, *Tant de muscles pour cacher quoi ? Pour faire peur à qui ?* Des carabiniers dans l'âme, fidèles à l'*Arma* avant tout. Ça faisait longtemps qu'ils exerçaient ce métier, ils n'étaient pas en sucre. Ils s'en remettraient. Nino était différent. Fragile, brillant, ombrageux. Tourmenté par des histoires de cœur cafouillées. Un môme.

Pendant la réunion qui suivit, en présence de madame le procureur Pamela Casson et du substitut du procureur Paul Richard, une espèce de sanglier rougeaud court sur pattes qui transpirait même par temps de neige, on annonça la saisine du juge d'instruction. Pendant ce rituel tout en ronds de jambe, Jacopo se balançait d'un pied sur l'autre. Son corps l'encombrait, pattes démesurées et longs bras. Et il était mal à l'aise. La hiérarchie, le pouvoir, les salamalecs… pas son truc. Mattotti, lui, buvait du petit-lait. Fabriqué sur mesure pour ce genre de pince-fesses celui-là. Même âge que le capitaine mais beaucoup moins de scrupules, Mattotti avait profité des années Berlusconi – un mélange de corruption au grand jour et de concours de léchage de cul – pour se pousser du col. Au moment où tout le commissariat s'attendait à ce que Jacopo soit nommé général de brigade, le nom de Mattotti était sorti du chapeau à la place du sien, et Jacopo était resté sur le bord du chemin, à peine plus qu'un *maresciallo*, à peine mieux payé que les hommes sous ses ordres. *Respire, capitaine. Respire.*

Le juge d'instruction s'appelait Battista Montesecco. Un type d'une quarantaine d'années, frais émoulu d'un stage à Quantico, le siège du FBI. Belle gueule, mais marquée. Capillaires explosés sur le nez, poches sous les yeux. Un poivrot honteux ? Un insomniaque, un dépressif ? À l'évidence, copain comme cochon avec le substitut du procureur Paul Richard, avec lequel il échangeait des tapes viriles sur l'épaule. On aurait dit qu'ils n'étaient pas nés sur la même planète, ces deux-là, tant ils étaient différents l'un de l'autre, le Montesecco en gilet anglais et chemise raide d'amidon, le Richard auquel même Belli, le meilleur tailleur de Florence, n'aurait pas pu couper un costume décent, et pourtant ils riaient tout bas, ne faisant pas grand cas de Pamela Casson, le procureur, qui les guettait sourcils froncés. Cette femme plaisait à Jacopo malgré son physique particulier, *dietro il liceo, davanti il museo*, « de dos le lycée, de face le musée » : Casson avait un visage parcheminé de vieille femme et un corps de jeune fille. Devant le numéro du tandem Montesecco-Richard, elle avait plus que jamais la tête d'une pomme restée trop longtemps dans le four.

Pour le reste, répartition des tâches. Recherche d'identité. Fibres, ADN, cheveux. Du boulot pour le RIS. Le médecin légiste et le toxicologue étaient des jeunes très compétents. Jacopo leur serra la main en chuchotant pour ne pas déranger le cérémonial. La biologiste, Bella Ricci, se tenait de l'autre côté de la salle, dos appuyé au mur, concentrée. Un geste de loin, un sourire un peu gêné. Le capitaine la connaissait depuis ses débuts, depuis qu'elle avait commencé à bosser dans ce département spécialisé, annexe de celui de Parme. *Une souris à couettes, un rat de laboratoire. Tu as bien changé, Bella la belle.* Il s'esquiva. Mal de crâne. Assez. Dehors, le soleil l'éblouit. Le petit magasin Nature House, à côté de la caserne, venait de fermer pour la pause-déjeuner. Il ne pourrait pas acheter le pain complet aux raisins que son aînée lui avait réclamé. Dans le Borgo Ognissanti vidé pour l'heure de ses habitants, seul le curé de l'église éponyme, en soutane et tonsure vieille école, debout devant le portail ouvragé, le vit passer. Sur les façades des palais couleur de paille ancienne, nobles dans leur austérité toute florentine, les volets étaient comme des yeux fermés le temps de la sieste. Il était 14 heures. Il avait promis à ses filles de rentrer déjeuner, mais il était en retard. Pas la première fois, ni la dernière.

Respire, Jacopo. Respire. Mon vieux.

Miles

Un père et sa fille. Lui penché, attentif, mains plus grandes que sa tête. Elle, bras comme des tiges de fleurs jetés autour de son cou. « Papa chéri, je t'aime. Mon papa à moi. » Un petit gilet à franges en daim, un jean minuscule, de mini-santiags. Un sourire à dézinguer le cœur le plus rassis.

Je la soulevais pour la hisser à califourchon sur mes épaules, elle riait et lançait un cri, pépiant à mes oreilles. Je caracolais, son cheval fou, son *appapaloosa* – comme elle m'appelait, mélangeant les mots « appaloosa » et « papa ». Ma fille, petite bonne femme aux cuisses de grenouille, faisait semblant d'avoir peur, elle qui n'avait peur de rien, mon intrépide, ma désobéissante, ma têtue. Je ralentissais, la descendais sur un bras, la faisais rouler, l'attrapais à la taille – « Encore, papa » –, ses trilles arrivant par vagues aux oreilles de ceux que nous croisions dans ce parc d'un vert éclatant au cours de ce printemps pluvieux de Louisiane, tous ces gens qui contemplaient notre couple heureux dans la jubilation sourde et aveugle d'un amour insensé, ces gens qui savaient, de la même manière sourde et aveugle que ma fille et moi, que ces instants nous les regretterons à l'ultime moment, quand on les verra s'éloigner et filer tel un ruban d'autoroute derrière nous ; on en oubliera de faire attention à ce qui se dresse devant, un mur, un virage, et il sera trop tard.

Au début de notre périple florentin, Indiana et moi habitions au dernier étage d'un palais dans le centre de la ville. Une glycine couvrait sa façade, culminant en tonnelle sur notre terrasse. La coupole du Duomo était si proche qu'on aurait cru la toucher certains jours d'hiver, quand le vent semble abolir les distances et que l'air est transparent comme de la glace. Mais Florence est une citadelle hantée. Trop de guerres de pouvoir, trop de sang versé sur les marbres usés. Les cauchemars se succédaient – Indiana avait étudié à l'école les complots de la Renaissance, et depuis elle revivait la terreur de cette matinée de Pâques 1478 où pendant la messe les Pazzi avait agressé les Médicis, poignardant à mort Giuliano, le frère de Laurent le Magnifique. Nuit après nuit ma fille me réveillait en criant ; au matin je la retrouvais dans mon lit. Nous avons déménagé de l'appartement lorsqu'elle est tombée malade, une fièvre que rien ne soignait et qui lui faisait mélanger présent et passé dans une sorte de délire léger mais continu. Pendant que nous logions à l'hôtel Loggiato dei Serviti, à cent mètres de l'université, ce qui m'arrangeait bien, nous avons visité des dizaines de maisons, nous éloignant de plus en plus de la ville au fur et à mesure que ma fille secouait la tête. Jusqu'au jour où elle a été touchée par la grâce.

Nous voici occupant l'extrémité d'un couvent fortifié remontant à l'an 1000, sur la route de l'abbaye de Vallombrosa. Notre logis est ample, noirci par les siècles, imposant – et apaisant. Au coin de cette massive demeure se dresse une tourelle percée d'une minuscule fenêtre à guillotine, autrefois utilisée par les sœurs pour distribuer l'aumône. Une charité à l'aveugle car les mendiants ne devaient pas voir leur visage, puisqu'il s'agissait d'un ordre cloîtré. Dès notre première visite, ce détail a ravi Indiana. L'agent immobilier, un Florentin bavard qui répondait au beau nom ancien de Rosso De' Ducci, sentant le talc et la sueur sous son costume boutonné de haut en bas malgré la chaleur, cravate et pochette coordonnées – une horreur –, s'était fait un plaisir de nous narrer le quotidien de ces nobles femmes enfermées par leurs familles au cours des siècles. J'imaginais les jeunes filles passant la lourde porte en bois clouté pour ne plus jamais en sortir, coupables seulement d'être celles, dans la fratrie, qui avaient été promises à l'Église. J'imaginais aussi les veuves, les repentantes, les déçues de l'amour. Les histoires cachées. Les grossesses cachées. Les bébés cachés.

Je me disais qu'il n'y a pas d'abbaye sans secret, les lieux empreints de cette bonne vieille religion catholique gardant avec gourmandise leurs mystères, mais cela me mettait mal à l'aise. L'an 1000, dans mes souvenirs, était l'époque des premières croisades en Europe. Et des débuts de l'art roman, dont témoignait l'exquise *pieve*, la chapelle blanche et nue accolée à la maison. Un vertige m'avait obligé à fermer les yeux. Ma libellule était déjà ressortie au soleil. Je l'avais suivie et avais oublié mon frisson dans l'explosion de sa joie : on avait enfin trouvé « notre » maison.

« Notre » hameau, composé de quelques fermes massées autour de l'abbaye, est réparti sur une crête hérissée de vignoble où viennent brouter les chevreuils. La nuit, la ville poudroie au loin, poignée de braises rougeoyantes au creux de la vallée. Indiana a établi ses quartiers au grenier, son paradis comme elle dit en paraphrasant Dante, omniprésent dans ses études comme à Florence, où à chaque coin de rue on peut lire l'un des vers liminaires des *canti* de *La Divine Comédie*. Ma fille a repeint ses pièces avec tous les bleus des peintres italiens – depuis sa petite enfance et l'épisode du matelas gonflable, le bleu est sa couleur préférée. C'est ainsi qu'après des semaines semées d'éponges séchées, de pigments racornis et de seaux à moitié remplis, à se prendre les pieds dedans – « Pas de gros mots s'il te plaît, papa » –, nous nous sommes retrouvés avec les sols indigo de Fra Angelico, les poutres cobalt de Giotto, les volets charrette de Ghirlandaio.

Jeans éclaboussés, cheveux en pinceaux raidis, vapeurs de térébenthine de haut en bas de l'escalier, nous avons vécu toutes fenêtres ouvertes, tant l'odeur de peinture imprégnait la maison. Et un jour, tout chez elle a été bleu, même les étagères qui s'affaissaient sous les livres cornés, bios de stars, histoires de fantômes, mais aussi Dostoïevski et Fitzgerald, Achille Mbembe et *Le Prince* de Machiavel, *L'Art de la guerre* de Sun Tzu, *La Bhagavad-Gîtâ*, le *Necronomicon* de Lovecraft. Aucun de ces bouquins, pour autant que je sache, n'est au programme du lycée cette année.

Sur le bureau d'Indie – une vieille porte de ferme savonnée sur tréteaux – trônent un MacBook, une tablette, un iPhone première génération et un tout neuf, mon cadeau pour ses dix-sept ans. À l'entrée, accroché de travers, un panneau en majuscules rouges, « *Divieto di entrata senza speciale autorizzazione* ». Il est interdit d'entrer sans autorisation spéciale. Le monde d'Indiana requiert une autorisation d'entrée, mais je passe outre en cachette pour notre bien à tous les deux.

Ainsi va notre vie, cahotante et tranquille, paisible pour ceux qui nous jugeraient sans connaître notre histoire. Ainsi va notre vie à deux sans que jamais nous ne parlions de celle qui nous manque et nous réduit au silence.

Une nuit à ne pas mettre un chien dehors, un bâtard au museau blanchi a frappé à notre porte. Après avoir dévoré une gamelle de dogue, il s'est écroulé au coin du radiateur pour roupiller vingt-quatre heures d'affilée. Lorsque quelqu'un s'approche de la maison, il aboie comme s'il était trois fois plus gros. Une âme de molosse et un cœur de lion, le reste à l'avenant. Mais qu'est-ce qui est le plus important ? Indie l'a appelé Furia.

J'enseigne ici les mêmes auteurs qu'à Lafayette. Je reprends tout depuis le début : mes étudiants n'ont aucune idée de ce qui s'est passé aux États-Unis au cours des deux cents dernières années. Comme si la littérature était coupée de l'histoire. Alors je raconte, et ils ont l'air d'écouter. Je leur dis que le fond c'est la forme, mais que l'inverse n'est pas vrai. Je leur dis que la fiction, comme la réalité, n'est qu'une variante des possibles. Que rien n'existe seul, que tout est lié. Les hommes, les arbres, les montagnes, les animaux. Les assassins et les saints. Et que les écrivains, même les plus cons, savent ça.

Des jeunes femmes, surtout, fréquentent mes cours. Fascinées par les auteurs, et quelquefois par le professeur. Minijupes, décolletés et petits mots dans mon casier. Certains de mes vieux amis croiraient à une blague, mais je pense que Pavlov avait compris pas mal de choses. Depuis Sienna, depuis que Nonnie n'est plus là, il ne faut plus compter sur moi. J'ai survécu. Mais je ne suis pas guéri. Et je n'ai rien oublié.

Légion

La lourde porte en bois s'ouvre. Des hommes aux visages d'ombre sous de larges capuches entrent en file indienne. Dans l'immense cave en voûte d'ogive, l'un d'entre eux s'agenouille sur la terre sèche et noire et dépose le fardeau qu'il portait dans les bras. Puis il se relève. Un deuxième s'agenouille à son tour, déroule les bandages de lin qui enveloppent une grosse pierre carrée. L'inscription apparaît, gravée sur le bloc gris clair :

N I G E R
I N A R E
G A L A G
E R A N I
R E G I N

C'est un palindrome, une suite de mots lisible de gauche à droite, du haut en bas, et inversement. Les hommes allument des cierges et l'un d'entre eux, le plus grand, lit en psalmodiant une litanie en latin, *Ego sum Niger Regin*, Je suis la Vierge noire, je suis la Nature, la Puissance adorée par l'univers entier, ma volonté gouverne les claveaux lumineux du ciel, les souffles puissants de l'océan, les silences lugubres des enfers. Les Phrygiens, premiers-nés sur Terre, m'appellent la déesse mère de Pessinonte ; les Athéniens me nomment Minerve Cécropienne ; chez les habitants de l'île de Chypre, je suis Vénus de Paphos ; chez les Crétois armés de l'arc, Diane Dictynna ; chez les Siciliens, Proserpine la Strygienne ; chez les habitants d'Éleusis, l'antique Cérès. Les uns m'appellent Junon, d'autres Bellone ; ceux-ci Hécate, ceux-là la déesse Rhamnonte. Les peuples d'Éthiopie, de l'Asie et les Égyptiens, puissants par leur savoir séculaire et qui, les premiers, sont éclairés par les rayons du soleil naissant, me rendent mon véritable culte et m'appellent de mon vrai nom : la reine Isis. Mais pour vous je suis et resterai la Vierge noire, mère de toutes choses, maîtresse des éléments, origine et principe des siècles, divinité suprême, reine des mânes.

Les autres hommes écoutent et, lorsque le premier range son papier dans une poche de sa tunique, ils terminent la réunion par quelques mots en latin qu'ils murmurent tous ensemble, « *Niger Regin. Niger Regin. Niger Regin.* » Ensuite ils sortent à la queue leu leu et referment la porte derrière eux, se dispersant sur un chemin illuminé par la lune.

Dans la maison surplombant la cave, seul le chien les a entendus. Il grogne, aboie, s'élance contre la porte, dos hérissé. La voix de Miles le fait taire.

« Couché, Furia, dodo, mon bonhomme. »

Maintenant le silence règne. Une lumière pâle entre par la fenêtre de la chambre où Indiana, lèvres entrouvertes, dort au milieu de ses coussins bleus, ses longs cheveux en bataille sur le visage, une main derrière la tête, l'autre en travers de sa poitrine nue. Elle frissonne. Marmonne. Dans le ventre de la nuit elle gémit.

Furia, les oreilles dressées, assis devant sa porte, continue de gronder.

Deuxième meurtre

Pontassieve, province de Florence. Benedetta Donati avait eu son bac avec mention trois jours auparavant. Elle arriva en retard à la fête. Hauts talons, robe en soie, ongles vernis, et les boucles d'oreilles données par sa mère : « Nous t'avons toujours fait confiance, ton père et moi. Aujourd'hui nous sommes fiers de toi. Tu vas commencer ta vie pour de bon, mais nous serons toujours là, aussi longtemps que tu en auras besoin. Sois heureuse, ma petite fille. » Benedetta, « la bénite », était l'enfant chérie d'un couple qui avait attendu presque vingt ans pour que leur union soit consacrée par sa naissance. En fixant à ses oreilles les perles grises qui lui caressaient le cou et effleuraient ses épaules, l'enfant bénie avait pensé à Claudio. Et elle avait rougi.

Benedetta avait bu son premier verre tellement vite que les bulles avaient envahi ses sinus, lui faisant monter des larmes aux yeux. Son humeur était toujours au plus bas au deuxième verre. Trop de monde, la fatigue de ces derniers mois d'étude, l'appréhension. Sa maudite timidité. Et puis ce troisième verre apporté par Claudio qui venait d'arriver, et le sourire de Benedetta s'ouvrit, et le monde entier s'ouvrit. Mais le quatrième verre, ce fut Claudio qui le lui ôta des mains. En posant un baiser sur ses lèvres, et en murmurant qu'il devait partir. Benedetta avait la tête qui tournait. Elle l'appuya contre la poitrine du jeune homme. Tempes battantes, cheveux moites. Première fois qu'elle était si près de lui. Il sentait le savon, la sueur sèche et un soupçon de désinfectant sous sa chemise déboutonnée. Claudio n'était pas comme ceux qu'elle avait fréquentés jusque-là. Ses amis de la *scuola media*, du *ginnasio*. Des compagnons de jeux. Le côté ascétique, affamé et sensuel de Claudio en avait fait le *it boy* des lycéennes. Son doctorat, il l'avait passé en travaillant la nuit, tandis que la journée il suivait des cours à la fac de médecine. Cheveux en brosse et yeux bleus enfoncés dans les orbites, mains de grimpeur, de chirurgien, de musicien, Claudio aurait pu être un tombeur sans vergogne, mais il avait une âme de pasteur et une ligne de vie toute tracée. Interne à l'hôpital de Florence, il devait se lever aux aurores le jour suivant. Il n'avait pas de temps à perdre avec des amourettes sans lendemain. Benedetta, ça faisait longtemps qu'il l'attendait. Ce soir, il n'allait pas la laisser s'échapper.

La prenant par la main, il lui avait demandé de le suivre. Concentré. Pensif. Préoccupé par la responsabilité du désir. Benedetta était presque une enfant, c'était facile de l'emmener où il voulait. Elle ne savait pas, elle ne savait rien. Lui, si.

Sur le chemin en terre, les ronces avaient griffé les portières de la vieille Fiat, une Panda indestructible. Claudio avait juré à voix basse, s'était excusé de sa grossièreté, puis avait proposé qu'ils s'arrêtent sous le tilleul. Ils étaient bien là, vitres baissées. L'été venait à peine de commencer.

« Oh, regarde, s'exclama Benedetta, les lucioles ! On n'en voyait plus. Il y en a plein ! Elles sont revenues ! »

Claudio fut un instant distrait, mais Benedetta était près de lui, si près maintenant. Il lui prit le visage entre les mains et l'embrassa. *Une luciole, juste là. Sur le rétro. Elles portent bonheur. Je le sais.*

Benedetta avait déjà embrassé un ou deux garçons, mais jamais de cette façon. La radio passait des chansons d'amour, et quand Claudio jouit, Leonard Cohen était en train de chanter « *I'm Your Man* ».

L'odeur du tilleul saturait l'habitacle. Benedetta s'éloigna de Claudio et s'étira. Elle ferma les yeux lorsqu'une lumière blanche passa comme une flamme, puis s'éteignit. Un coup de tonnerre explosa du côté du garçon. Elle cria, mais son propre cri était muet, les sons ne parvenaient plus à ses oreilles. Son cœur sautait dans sa poitrine tandis que Claudio la regardait en murmurant quelque chose qu'elle ne comprenait pas. Elle se rapprocha de lui, nue et tremblante, et le secoua. Du sang goutta sur ses seins et ses bras. La portière côté passager s'ouvrit, quelqu'un la saisit à la taille et la tira hors de la voiture. Elle s'accrocha au siège, griffant le faux cuir ; ses doigts glissèrent dans le liquide épais. Une boucle d'oreille accrocha la poignée de la boîte à gants, son lobe se déchira, et Benedetta fut emportée.

Légion

As-tu déjà tué quelqu'un ? Ton chef, ta femme ou son amant, ton banquier. Ton père. Ta mère. Jalousie, revanche, humiliation. Profit. Colère. Passion. L'alcool, le sexe, la guerre.

Peut-être en as-tu eu envie, et tu ne l'as pas – encore – fait. Mais est-ce que tu as compris ? Est-ce que tu as *vraiment* compris ? La seule, l'unique raison pour laquelle on tue, c'est pour ne pas mourir soi-même.

Tes doigts enferment son cou, tes pouces s'enfoncent dans sa gorge, son corps s'agite sous le tien. Soixante secondes, c'est interminable. Il t'en faudra au moins deux cent quarante pour que ta victime cesse de se débattre. De lutter pour respirer. Comme tu le ferais à sa place.

Es-tu sûr d'y parvenir ? Tes bras tremblent comme si tu avais soulevé des poids. Tes muscles sont raides, des blocs de glace. Ton cœur bat trop fort. Tu as les mains qui glissent, le dos en nage. Et plus de souffle.

Quatre minutes, tu penses que ce n'est rien, n'est-ce pas ? Es-tu vraiment sûr d'y parvenir ?

Ou peut-être vas-tu poursuivre ta proie en voiture et attendre le bon moment pour la heurter. L'écraser. Est-ce que tu es seul sur la route ? C'est le soir, la nuit ? Personne ne te voit, ne t'entend ? Toi, en revanche, tu vas longtemps avoir dans les oreilles le bruit de ce corps – de ce corps semblable au tien – qui éclate. Lâchant toute cette merde sur le macadam. Si ça se trouve, ça va être la dernière chose à laquelle tu penseras avant de mourir.

Ou alors tu vas acheter une arme à feu – compliqué, mais faisable. Tu vas apprendre son fonctionnement. Dans la forêt ? Un stand de tir ? Avec cette arme dans ta poche, tu vas attendre. C'est la nuit. L'obscurité est propice à la mort. Mais on meurt rarement d'une balle unique. Et le boucan. Y as-tu réfléchi ? Un silencieux ? Tu veux rire. Nous ne sommes pas aux États-Unis. Voilà, tu as mal visé. Le coup unique, ça n'existe que dans les films. Alors tu vas t'approcher et tirer encore – et encore. Dans la tête ? Ou vas-tu viser la poitrine ? Combien de fois ? Combien as-tu de balles dans ton chargeur ? Ça va suffire, tu crois ? Il ne manquerait plus que tu n'aies pas assez de projectiles pour terminer le travail. Et si il/elle te supplie ? Et si il/elle te maudit ?

Es-tu sûr d'y parvenir ?

Tu t'imagines en train de changer d'avis ? La majorité des êtres humains recule devant les actes extrêmes. Sais-tu que parmi ceux qui sont appelés à faire la guerre – la vraie guerre, arme au poing –, seul un infime pourcentage arrive à tirer à hauteur d'homme ? La plupart des soldats ne sont capables que de mourir, pas de tuer.

Ta rancune doit être tenace, ta cruauté, un plaisir, et le meurtre, une nécessité. Alors ? Toujours partant ? Enfin, si tu es comme moi – nous sommes plus nombreux que les braves gens ne le pensent –, tu n'as pas besoin de mon laïus. Tu as déjà crevé deux ou trois de ces pleurnichards que l'on appelle « nos semblables » – et qui ne le sont pas. Quelle est ta pire action ? Enfiler une nana et l'égorger en même temps ? Excitant. Lui mettre une canette de Coca dans le vagin et sauter sur son ventre à pieds joints ? Il paraît que ça se fait dans la région des Grands Lacs en ce moment. Pratique de bourrin. Enfin, tout ceci n'est pas nouveau. Au Moyen Âge, l'Inquisition avait déjà déployé une merveilleuse imagination en la matière. Alors, le pilote cramé dans sa cage sous les yeux du monde entier, la petite fille qu'on envoie, blouson fourré de TNT, se faire exploser dans les souks, c'est juste la nouvelle com du Mal. Roue, collier de piques, écartèlement, empalement, la liste est longue des mises à mort.

As-tu décidé des moyens à employer ?

Moi, ce que je préfère, c'est le couteau. Ce bon vieux couteau qui appartenait à papa. Pas la peine d'être un grand sportif. Une bonne coordination des mouvements et de la résolution, c'est suffisant.

Je me suis exercé sur un chien, d'abord. J'avais – quoi ? – onze ans. C'est tombé sur le bon toutou des voisins, un chiot de labrador pourri gâté. Un peu dodu, un peu lent à force de bien manger. Les vieux l'adoraient, je me demande même s'il ne dormait pas dans le lit avec eux. Ils en étaient gagas. Bref. Je l'ai attiré avec un morceau de mon quatre-heures – une brioche Ferrero, je me souviens – et poignardé une première fois, puis une seconde. Il s'est approché de moi, comme pour me demander pardon. Ou pour que je lui vienne en aide, je ne sais pas. J'ai à nouveau enfoncé le couteau dans son ventre. Il a hululé, essayé de s'enfuir. De se cacher. Je l'ai bloqué, je me suis penché sur lui et je l'ai achevé tandis qu'il se tordait à mes pieds. Il n'a pas mis longtemps à mourir. Je n'étais pas satisfait. Trop court. Et puis un chien. C'est con, un chien. Je voulais plus. À quinze ans, je me suis tapé mon premier bonhomme. Un type qui m'avait fait des avances dans un jardin public. Beaucoup mieux. J'ai commencé par un petit coup. La cuisse. Juste pour voir. C'est rentré tout seul. J'ai vu l'incompréhension dans son regard. Comme le chien. Je me suis éloigné pour le contempler. Ce n'était pas très grave, ni très profond. Quelques points de suture et un mauvais souvenir, s'il s'était sauvé. Il a posé une main sur sa blessure, et l'autre, il l'a tendue vers moi. Comme le chien, encore une fois. J'ai donc pris sa main, j'ai serré son corps tout contre moi tandis que j'enfonçais le couteau au creux de ses reins. Il s'est affalé en marmonnant. Je voulais qu'il hurle, qu'il m'engueule, qu'il se défende, mais il pleurait. Il pleurait. Il balbutiait des trucs sans suite, « Pitié, je ne le ferai plus », des mots ridicules. Il s'est recroquevillé à mes pieds, ses bras autour de lui. Silence complet. Il ne bougeait plus. J'ai cru qu'il s'était évanoui. Il a failli m'avoir quand il a crocheté ma jambe pour me faire tomber. Alors je me suis baissé et je l'ai frappé, je ne sais plus combien de fois. Je n'avais jamais été aussi fatigué de ma vie, mais j'ai continué. Ses vêtements s'imbibaient de son sang, sa chemise était rouge, sa veste trempée. Il se contorsionnait comme un ver de terre, et moi je pilonnais. Les fesses, le bas-ventre, la gorge. La tête, le visage, c'était plus dur, la lame s'enfonçait moins facilement que dans le reste du corps. Ça dérapait. Plus je frappais, plus j'avais l'impression qu'il s'agissait d'autre chose que de chair. De la craie sur une ardoise. Ça crissait.

Une fois que ç'a été terminé, je me suis éloigné et lavé dans le bassin du jardin public. C'était la nuit. C'était l'été. Un gosse avec un jean noir, un T-shirt noir qui rentre chez lui ; mes parents étaient au lit. Ma mère, de la chambre, a dit, « C'est toi, chéri ? Couche-toi vite, il est tard. »

J'ai mis mes vêtements dans un sac-poubelle que j'ai jeté le lendemain.

Tu te demandes qui je suis. Comment je m'appelle.

Mon nom est Légion.

Jacopo

Florence, 5 juin, 2 heures du matin. Clopes fumées à la fenêtre, partie de poker qui s'éternise dans un coin. Les mégots jetés dehors, canettes de bière, bruits de rots, odeurs de pets, d'hommes crevés. 112. Un appel anonyme. Coordonnées GPS, latitude : 43.8833333, longitude : 11.5166667. À une trentaine de kilomètres de Florence sur la route de l'abbaye de Vallombrosa. La mort, la mort au bout du fil. Et c'est parti.

De Florence à Rufina la route est laide, d'une laideur de banlieue italienne banale et rassurante. De temps à autre, un vieux mur couvert de lierre annonce une villa à l'abandon au bout de deux hautes rangées de cyprès, symbole d'un passé encore proche où les riches Florentins partaient en villégiature dans leurs maisons d'été. Au cours des quarante dernières années, on a construit n'importe comment et n'importe où par ici, les cœurs des villages ont été criblés par des rafales de maisonnettes mal édifiées, emblèmes d'un boom économique qui a fait long feu. Mais après Pontassieve, là où la rivière Sieve se jette dans l'Arno, le paysage se teinte d'une langueur Ottocento : les *leopoldine*, fermes à planimétrie carrée avec un colombier au centre, ainsi nommées d'après le grand-duc Pierre-Léopold qui a redonné ses quartiers de noblesse à la campagne toscane, parsèment les collines endormies, et alors la beauté vous prend à la gorge, un air parfumé d'herbe fraîchement coupée caresse votre visage et vous donne envie de fermer les yeux, d'arrêter la voiture, de rester là et de respirer.

L'Alfa Romeo des carabiniers, sirènes éteintes, avec les hommes silencieux à son bord, traversa des bourgs fantômes, toutes lumières mortes. Blanche, la lune illuminait ce paysage de vignes et d'oliviers, mamelons veloutés et bois de chênes noirs de nuit.

À l'endroit signalé, une clairière dans laquelle un tilleul en fleur semblait monter la garde, Jacopo et ses hommes mirent pied à terre. Alessandro tomba le premier sur la Panda émergeant d'un fossé, roues embourbées, portières grandes ouvertes, phares allumés. Une ombre à l'intérieur.

Traquenard ou scène de crime évacuée ? Le capitaine cria, « Forces de l'ordre, que se passe-t-il ? Répondez », et il lui sembla entendre quelqu'un ricaner. Il attendit, puis fit signe à ses hommes d'approcher. Francesco eut un haut-le-corps. Le carabinier s'écarta et Jacopo prit sa place, se penchant sans rien toucher. Un jeune homme, yeux bleus écarquillés, gisait à moitié nu sur le siège conducteur, chemise relevée sur le torse. Le slip du garçon était tombé sur la pédale de frein. Jacopo remarqua deux trous noirâtres, l'un dans la région du cœur, l'autre derrière l'oreille gauche. Du sang poissait ses cheveux en brosse prématurément gris. On avait fait feu à bout portant. À bout touchant. Jacopo jura entre ses dents en reculant. Il avait les pieds dans une flaque. *Bordel de merde.* À moins d'ôter ses chaussures et de les emballer dans un sac en plastique, il aurait encore une fois contaminé les lieux. *Bordel.* Sur le siège près du cadavre, à la lumière du plafonnier, il aperçut un châle et un sac à main. Il fit le tour du véhicule. Avec la branche d'une paire de lunettes sortie de sa poche, il effleura une larme grise accrochée à la boîte à gants. Une boucle d'oreille en perle. Il la laissa là. Les souris du RIS feraient le nécessaire un peu plus tard. Le capitaine avala une goulée d'air, refoula la vision de ses filles se maquillant, se coiffant, se parant de bijoux le soir, avant de sortir. *Et merde !* De la portière ouverte côté passager partaient deux sillons de terre retournée, comme si on avait arraché quelqu'un du siège en le traînant par les épaules. Les pieds avaient tracé ces marques parallèles dans l'herbe écrasée. *Je t'en prie, capitaine. Trouve-moi avant. Trouve-moi avant que je meure. Trouve-moi. Avant qu'il me tue. Trouve-moi. Avant.* Jacopo remarqua une sandale dorée à une vingtaine de mètres, dans le champ d'oliviers. La seconde, presque enfoncée dans la terre meuble, gisait à côté. Plus loin, une empreinte de gros pneus.

Jacopo se retourna, embrassa la scène du regard. Ses hommes le fixèrent en silence. Il cherchait Nino des yeux, mais le jeune homme n'était pas là. Malade comme un chien depuis deux jours. Alessandro fit quelques pas de côté, Francesco ne bougea pas. Même ses tatouages avaient blêmi. Jacopo s'assit dans l'Alfa, appuya sa nuque contre l'appui-tête. Des gouttes de sueur glissèrent sur son front. Il les essuya de sa manche. Les grillons psalmodiaient tout bas. Dans ses oreilles, des cris de femme, des prières, des supplications, des râles d'agonie. *Je t'en prie, capitaine. Trouve-moi avant. Trouve-moi avant que je meure. Trouve-moi. Avant qu'il me tue. Trouve-moi. Avant.* Une luciole se posa sur son bras quand il composa sur son portable le numéro du commissariat. Pensant, *Ce n'est pas possible.* Pensant, *Je l'ai toujours su.* Pensant qu'il n'y pouvait rien. Qu'il n'y avait jamais rien pu, depuis le début. Impuissance et luxure. Dépravation et atrocité. *Ça recommence. Il est là. Il est revenu.*

L'aube rosissait l'horizon. Il avait envie de nicher la tête entre ses bras, de ne plus rien voir et de dormir. Il ne fit ni l'un ni l'autre. Il attendit.

Le juge d'instruction Battista Montesecco et le substitut du procureur Paul Richard arrivèrent, se suivant dans leurs voitures respectives de fonction et se garant n'importe comment. Il faisait tout à fait jour. Trente degrés à l'ombre, et on n'était qu'en juin. Le RIS était là depuis un moment. Des fantômes blancs, chaussures en nylon, charlottes en papier, gants en latex. Parlant à voix basse. Ambiance de ruche. Bella, à peine bonjour. Concentrée sur sa tâche. Méconnaissable ainsi, cheveux ramassés sous la charlotte, loupes sur le nez.

Paul Richard s'approcha du capitaine. Il transpirait sous sa veste trop chaude pour la saison. Avec sa tête de statue romaine il ressemblait à ces empereurs débauchés de la fin de l'Empire. La même morgue. Insupportable. Il appela le capitaine d'un signe de tête, *Tu te prends pour qui, espèce de substitut de mes deux ?*, et lui montra de sa main gantée un portable qu'il avait ramassé. C'était un vieux téléphone d'un beige sale, de marque Motorola. Le capitaine hocha la tête sans le toucher. Près de lui, Alessandro le prit par les extrémités d'un sachet en plastique transparent. Le fit tomber dedans. Lourd, taché de sang. Fila vers les hommes en blanc pour le leur remettre. Paul Richard les observa une seconde, deux, une expression indéchiffrable sur le visage. Du mépris peut-être, du dédain sûrement. Jacopo et sa brigade, semblait dire son regard, étaient des tocards, et qu'est-ce qu'ils foutaient toujours sur les lieux ? Du balai. Qu'ils laissent travailler les pros. Qu'ils retournent à leur boulot. Arrêter des mômes qui pétaradaient à mobylette dans le centre-ville piétonnier. Mettre à l'amende les maîtres des chiens qui « oubliaient » de ramasser les crottes. Les deux hommes se regardèrent encore un moment, puis Richard tourna les talons et s'engagea derrière le juge Montesecco sur le chemin que les pieds de la fille avaient creusé.

Nonnie

Pourquoi tu les as laissés faire, mon amour ? Ils m'ont volée, m'ont violée, m'ont poignardée, chacun à son tour, tout ce que tu m'avais promis, l'amour trahi trahi trahi, mon oiseau des îles mon amour te souviens-tu du matin où tu m'as dit que tu m'aimais, nus dans la lumière entrant à flots café sur l'oreiller, cheveux épars pas envie de me lever, et toi qui me taquinais et promettais tout l'amour du monde à jamais en m'embrassant, sein droit sein gauche, en bas plus en bas, oh, mon amour, plus jamais mal, plus jamais faim froid soif, tu serais à mes côtés et je souriais et t'ai épousé, trust me baby, *ma Nonnie, ton dernier souffle ou le mien, rien d'autre ne nous séparera, combien de temps dure l'amour d'un homme, robe blanche, sang noir, violée, ton amoureuse, poignardée, un sac de linge sale, un sac-poubelle un sac d'immondices un sac d'os à jeter à coincer dans un espace trop étroit, les chiens qui ont reniflé mon chemisier roide visqueux taché m'ont retrouvée recroquevillée dans cet espace étroit, une niche, chiens hurlant à la mort.* Pitié pour les anges noirs, pour les chiens pendus. Hurlant à la mort, déchiquetés, déchirés. Pendus aux crochets. Ricanant. Pendus aux crochets. Écartelés. Sang qui goutte. Ailes lacérées. Une femme yeux ouverts. Une poupée. Une femme yeux fermés. *Pourquoi les as-tu laissés faire ça ? Ils ont mis mon corps dans cet espace étroit, l'ont fait rentrer à coups de pied, mon corps pas encore froid, les vêtements en boule dessous, chaussures sur ma tête, prière pour les* anges noirs pendus aux crochets, têtes à moitié décapitées, longs cheveux, yeux vides, orbites noires, yeux arrachés, mains jointes, priez pour nous, ricanant, chiens hurlant pendus aux crochets les anges descendent marchent sur moi ricanent, bouches muettes dents couvertes de sang noir larmes de sang coulant de leurs yeux arrachés je hurle saute hors de mon lit hurlant nu couvert de sueur le chien aboie pleine lune dans le ciel de juin, grillons murmures bêtes invisibles souterraines graves et secrètes, ton visage triste triste, ma Nonnie se détourne, sévère et grave, secret, mon amour, pardonne-moi, elle retourne dans la nuit d'été, s'en va s'enterrer pour le jour dans le tas de bois coupé, sous les branches d'oliviers sarclés, dans une galerie de taupe un trou de souris, robe blanche sang noir yeux arrachés *je reviendrai demain, dors maintenant, mon Miles bien-aimé, un baiser sur ta belle bouche, un baiser pour l'homme qui m'a trahie abandonnée tuée. Attends-moi, toutes les nuits, toutes les nuits, mon amour, à tes côtés je te le promets.*

Légion

Florence, via Bolognese 67. La grande résidence, aujourd'hui immeuble en copropriété, ressemble peu aux autres maisons de cette rue bourgeoise qui du cœur de la ville monte vers Bologne en passant par les Apennins. Le numéro 67 est moins luxueux, plus sévère que les villas voisines, des demeures au charme patiné par les siècles, entourées de parcs sortis des plus belles pages de Somerset Maugham. En allant vous promener là-bas, vous seriez émerveillés par la Villa La Pietra, qui appartient aujourd'hui à NYU, l'université new-yorkaise. Un peu plus loin, la Villa Finaly fait partie du patrimoine de l'université de Paris, ainsi que la Villa dello Spedaluzzo contiguë. Quant à la Villa La Loggia, hébergeant aujourd'hui l'excellente maison d'édition Giunti, elle fut le siège de la conjuration des Pazzi, cette famille qui succomba tout entière pour avoir eu l'hardiesse d'attaquer les Médicis au temps de leur splendeur. Les conjurés se réunirent à La Loggia un jour du printemps 1478 pour décider du sort des deux jeunes et fougueux héritiers de la lignée. Au cours de la messe de Pâques, Laurent le Magnifique sauva sa peau grâce au sacrifice de son garde du corps, mais Giuliano, le cadet, mourut – alors qu'il s'apprêtait à communier – sous les coups de deux prêtres embauchés à la dernière minute. Le tueur engagé au préalable n'ayant pas voulu opérer en territoire consacré, délicatesse qui lui coûta quand même la vie, toute l'action en souffrit. Car cette besogne fut bien mal exécutée, à mon modeste avis. Les curés étaient des tâcherons. Pas professionnels. Ils bâclèrent le travail, et en fin de compte tous les acteurs de cette tragique farce furent pendus par les Florentins en rogne, non sans avoir subi au préalable quelques supplices à la mode de l'époque, amputation des oreilles et autres appendices.

Quoi qu'il en soit, il est très possible que vous connaissiez cette rue. Peut-être y êtes-vous déjà allés, invités par des amis à dîner. Ou alors peut-être habitez-vous au 67. Êtes-vous ce gentilhomme japonais amoureux des vieilles pierres, muet et courtois, aux vêtements un peu raides et comme fanés, rappelant curieusement ceux d'un dignitaire de l'Empire ? Ou êtes-vous membre du Secours gastronomique, quelle que soit l'association qui se cache derrière cette improbable appellation ? Qui que vous soyez, j'espère que vous aimez danser, car cette Villa Triste est l'un des endroits les plus rock'n'roll de la ville, voire de l'Italie tout entière. Une boîte dont les annexes et les franchises sont autant de tentacules qui ondoient à travers la péninsule comme des rameaux de corail sous la mer.

Comment un homme qui s'appelle Carità di fu Gesù – Charité de feu Jésus, patronyme sans doute contracté dans un orphelinat – peut-il devenir un héros du mal, de ceux qui émargent à chaque guerre ? Une grappe de criminels libidineux, de fous vicieux et de putains dépravées s'est agglutinée entre 1942 et 1945 autour de cet honnête ministre de Satan. Sous l'égide des SS. C'est ici, à la Villa Triste, qu'ils entraînaient leur conquête d'un soir. Éviscérations, arrachage d'ongles, énucléations, tout ce qu'il y a de plus marrant était à l'ordre du jour. Avec, comme dans une opérette, un prêtre qui jouait du pianola en bande-son. Cette famille Addams vivait dans une ambiance de franche rigolade, puisant son inspiration les jours un peu mous dans sa réserve d'héroïne et de cocaïne. Résistants, communistes, partisans, Juifs, tous y passaient. Mais ce qu'ils aimaient par-dessus tout, c'étaient les jeunes et beaux jeunes gens. Quand ceux-ci ne pouvaient plus servir, ils s'en débarrassaient dans les bois en les tirant comme des lapins, avec la bénédiction des SS qui trouvaient tout ça très amusant. Mussolini, à qui il restait un fond de honte, avait plusieurs fois essayé d'y mettre de l'ordre, « On ne peut pas toujours plaisanter, *ragazzi* », mais ces sinistres passe-temps n'ont pris fin qu'avec l'arrivée des Alliés. La bande à Charité s'en est allée sévir non loin de là, à Padoue, où une famille juive avait obligeamment et définitivement libéré son vieux palais.

Florence est une ville merveilleuse. Ici plus qu'ailleurs, le sang a coulé avec magnificence. Savez-vous que c'est là que les premières sociétés secrètes italiennes ont vu le jour ? Aucune civilisation ne peut perdurer sans rituel occulte. Le monde est un théâtre. Les rideaux s'ouvrent, mais la mise en scène qui apparaît n'est qu'un premier champ du spectacle. Derrière, il y a d'autres rideaux, et d'autres mises en scène pour d'autres spectacles. Le pouvoir ne s'obtient qu'en traversant toutes ces strates. Un vrai mille-feuille.

Depuis toujours, nous pourvoyons. Nous nous perpétuons dans la dégradation des idéaux et dans l'aveuglement consenti. Ne pas intervenir, c'est déjà être de notre côté. Trébuchez une seule fois dans l'ascension vers les hautes sphères et vous voilà notre complice. J'en sais quelque chose, toute ma vie aura été un long apprentissage du mal. Pour lequel il faut du sérieux, des principes et de la profondeur. Le pourcentage de saints sur cette terre est exactement le même que celui des grands criminels. Une intelligence hors norme, de la constance, de la détermination et une vision ample du monde sont les qualités requises pour intégrer ces partis extrêmes. On vous l'aura dit et répété, vous êtes « des brebis au milieu des loups. Soyez prudents comme les serpents et simples comme les colombes », mais que faites-vous de vos Écritures ? Vous n'êtes que nos proies, distraites par des querelles de territoire, des chicanes de brins d'herbe, tandis que nous planons, prélevant notre dîme parmi vous selon nos besoins.

Qui suis-je ? Mon nom change pour les siècles des siècles. Mais toujours
on m'appelle Légion.

Miles

Florence. Un père et sa fille. Indiana exquise par l'âge, jambes nues qui tressautent sous la table, genoux sculptés, impatiences de pouliche, longs cheveux retenus par des barrettes s'échappant comme des jaillissements d'eau, des crins de poney, ongles des pouces vert émeraude, petit bouton d'acné près de l'oreille (*parfait, ce pavillon, un gardénia*). Elle sert le thé, remplit la tasse de son père qui ne lui a rien demandé, théière à la main, gestes précis, parlant tout en remuant l'autre main, poignet relevé au bon moment filet coupé sans goutter, et son père aime qu'elle soit adroite vivante ravissante sentant bon le shampoing, il l'écoute de tout son corps penché au-dessus de cette table dans ce restaurant du centre-ville où, une fois n'est pas coutume, il a invité sa fille à déjeuner.

Ma fille. Trois ans. Cette estafilade fine comme une ride avant l'heure près de ton œil droit. Tu avais sauté du haut de la balançoire pour atterrir dans le bac à sable, une branche s'était fichée dans ton arcade sourcilière. J'avais vomi de terreur cette nuit-là.

Le professeur a réussi à garer sa vieille Toyota dans la via dei Pescioni juste en face, incroyable, les parkings sont la chose la plus rare dans cette ville où il vaut mieux se déplacer à vélo ou à pied, et là, il se sent tellement bien, le thé, c'est pour faire plaisir à Indiana, d'un hochement du menton il appelle le garçon, Cesco – ils ont eu le temps de papoter pendant qu'il attendait sa fille, comme toujours en retard, en lisant *La Repubblica* et en sirotant un verre de chianti Fattoria di Ama dans un grand ballon brillant de propreté, Cesco lui a dit qu'il adore ce métier, que si comme lui on aime travailler dans un restaurant de ce genre, un peu chic, pas trop, un peu gastronomique mais pas chichiteux, on apprend beaucoup de choses, c'est fou comme en Italie le mot « service » a encore du sens, une dignité, l'impression que les serveurs mettent un point d'honneur à rendre la vie des clients facile, comme si leur seul souci était d'être agréables, les Napolitains sont les meilleurs à ce jeu, jamais serviles, jamais condescendants, attentifs et à l'écoute, et pendant que Miles conversait avec le garçon, Indiana s'est pointée, elle a ôté son casque de Vespa et ses cheveux ont ruisselé sur son cou, ses épaules et son dos, ceux qui étaient attablés dans le restaurant se sont tus pour la regarder et le garçon Cesco a avalé deux fois sa salive, figé dans les phares rieurs des yeux d'Indiana, puis il a écarté la chaise et elle s'y est laissée choir comme une princesse foutraque, mademoiselle la rebelle, assise en équilibre sur ses fesses d'abricot, assise en équilibre entre l'enfance et la jeunesse, elle a commandé ce thé dont le professeur n'avait aucune envie et il a acquiescé, ensuite ils ont choisi sur la carte du jour des *tagliolini* aux fleurs de courgettes et aux fruits de mer, le pain est arrivé, et l'huile, et Indiana a trempé ses mouillettes dans le jus vert et doré en parlant vite, et voilà, ça a dérapé :

– Papa, enfin ! Je te le promets ! Je rentrerai avant minuit.

– Tu ne rentreras pas à minuit car tu n'iras pas là-bas.

– Si, j'irai.

– Non.

– Qu'est-ce que tu vas faire, hein ? Tu vas m'enfermer à clé dans ma chambre ?

– Pas besoin. Je dis non, ça suffit.

– Papa, tous mes copains vont y aller, à ce putain de concert. C'est quoi ton problème ?

– Tous tes copains ont des parents qui prennent leurs décisions en leur âme et conscience. Il est malheureux pour toi que ce soit moi qui sois responsable de ta personne. C'est non. Point. Et ne dis pas « putain » à tout bout de champ.

Indiana se lève d'un bond, remettant son casque juste au moment où les assiettes fumantes atterrissent sur la table. Son père lui agrippe le poignet, la forçant à se rasseoir, siffle :

– Au moins, tu respectes les gens qui bossent pour toi.

– Je n'en ai rien à…

– Encore un mot, Indiana !

La main du prof se lève.

– Et quoi, papa ? On recommence les conneries ?

Cinq ans. Le jour de ton anniversaire. Tu voulais des gâteaux et des bonbons pour ta fête. Tu en as eu, et des ailes de papillon, un tutu et des chaussures dorées, un vélo rose et un casque rose et des gants de motard rose. Tu avais déjà mangé trop de chocolat. Tu en voulais encore, juste avant de te coucher. Je t'ai interdit d'en reprendre. Tu as fourré dans ta bouche le dernier carré. Je te l'ai fait cracher. Tu as hurlé. Je t'ai fessée. Tu as piqué une crise de rage, puis tu t'es endormie, épuisée. Le matin suivant tu m'as dit que tu ne m'aimais plus. Puis tu t'es étendue sur le plancher, bras écartés, et tu as passé le reste de la matinée comme ça. Désespérée.

La main du prof retombe.

– Tu manges. Tu te calmes. Et on verra pour le concert.

Ils déjeunent en silence. Avec appétit. Une bagarre bien rodée, un numéro dont ils ont l'habitude. Un père ultra-protecteur, une adolescente qui n'en fait qu'à sa tête et le défie. Normal. Non ?

Six ans. Tu t'étais perdue sur la plage. Nonnie était partie te chercher de son côté, moi du mien.

Écartant les gens comme des branches d'arbres dans la forêt. Les pieds lourds dans le sable. La gorge en flammes, plus de souffle pas de salive dans la bouche pour t'appeler. Le sang en caillots dans les veines. Les pensées sans nom, les larmes qui coulaient sur mes joues. Il y avait un point bleu nuit, tout au fond, sur cette ligne où la mer se fond dans le ciel. Ton matelas gonflable. J'ai accompagné le sauveteur, Zodiac lancé à toute vitesse sur les vagues. Le matelas bleu nuit était une balise perdue par un voilier. « Attendez », m'a-t-on dit, mais attendre quoi ? J'ai couru jusqu'à la maison louée dans les dunes pour retrouver Nonnie. Ta mère n'était pas là. Mais. Recroquevillée sur les marches, maillot de bain orange, matelas bleu nuit dégonflé posé à tes côtés. Sur les marches, endormie, ton pouce dans la bouche. Toi. Mon Indiana. Ma fille. Mon Indie.

Miles au-dessus de son assiette sourit au garçon Cesco, qui lui fait un signe de tête en réponse. Trapu, souple, assuré, sweat-shirt gris à manches longues pantalon en coton froissé chaussures bateau éculées, cheveux très courts genre GI, lunettes rondes sur le front, le professeur rit maintenant avec sa fille, bonne humeur revenue. Ils parlent en italien, un mot anglais par-ci par-là. Ils ont trouvé un accord pour le concert. Coupé la poire en deux. Le père, coup d'œil à sa montre, se redresse, repousse sa chaise, paye à la caisse – « Sans faute à onze heures et demie, Indiana, pas une minute de retard, d'accord ? » –, elle acquiesce, regarde autour d'elle. (*Ses yeux glissent sur moi sans me voir. Mais personne ne peut me remarquer. Un restaurant à colonnades, et ma joie est parfaite aujourd'hui.*) Miles embrasse Indiana sur le front. Elle lui sourit. Son sourire à dézinguer. À réveiller les morts. Et un visage où vibrent toute la joie toute l'inquiétude toute l'insolence de la jeunesse.

Jacopo

Florence. Borgo Ognissanti. *Comando* des carabiniers, fauteuil braqué sur la fenêtre et pieds sur le rebord, Jacopo somnolait dans son bureau. Yeux fermés, doigts sur le front. Mauvaise nuit. Comme les nuits d'avant. Comme le seraient sans doute les nuits d'après. *Oublie. Laisse filer tout ça dans l'égout où ça a commencé. Fini, derrière, terminé. Le Monstre était une rage de dents, une éruption de furoncles dans une galaxie abominée par les dieux. Tout meurt, les étoiles Bouddha les tueurs. Le Monstre a été avalé par l'enfer.* Alors pourquoi ce goût de cendres ? *Lutter encore ? Trop vieux. Pas envie.*

La porte s'ouvrit :

– Capitaine !

– Oui, Nino.

– Je peux ?

– Ferme derrière toi.

Jacopo ne s'était pas retourné. Un bâillement fit tomber le crayon qu'il mâchonnait. Il le ramassa et d'une poussée des talons fit pivoter le fauteuil.

– Je ne reste pas, capitaine. C'est que…

Nino se tut. Reprit son souffle. Se lança :

– Désolé de ne pas avoir été avec vous cette nuit.

Jacopo baissa le menton dans une vague expression d'assentiment. *Crevé, crevé.* Il lui fit signe de partir, mais le garçon fixait un point sur le plancher et ne bougeait pas. *Pas le moment, mon garçon. Crevé.*

– Qu'est-ce que tu veux, Nino ?

– Ce Monstre. Pietro Pacciani ? Qui s'en prenait aux couples. Vous l'avez connu ?

Rien n'est jamais terminé. Expliquer. Raconter. Les filles poignardées. Les garçons massacrés. Comme ce pauvre gosse la nuit dernière. À bout portant. À bout touchant. Sexe à découvert, couilles de bébé fripées. Mourir fout la trouille. Il y a de quoi débander. Comme autrefois. Ces horribles étés. 1981, 1982, 1983, 1984, et puis le dernier. 1985. Des mois et des mois sans dormir. À pleurer en cachette de Colomba. Ils n'étaient pas encore mariés. Elle avait eu envie de le quitter. Ses filles ne seraient jamais nées. Pas envie, pas envie de parler.

– J'suis crevé, Nino. Plus tard, tu veux ?

– Pardon, capitaine.

Cette lueur, comme des larmes rentrées, dans le regard du jeune *appuntato.* Cette tristesse d'enfant battu. Déçu. *Respire, capitaine.* Tellement fatigué.

– Reviens. Allez.

Le garçon s'assit. Attendant. *Par où commencer ?*

– Je l'ai connu. Pietro Pacciani. Mais ce n'était pas lui. Ce salopard qu'on a trouvé mort dans son taudis après sa sortie de taule, son froc sur les genoux ? Ce n'était pas lui. Ni ses *compagni di merende*, ses « compagnons de casse-croûte », comme on les avait appelés… Des boucs émissaires, des misérables, des cinglés. Minables. Ils savaient tout, ils savaient qui, les noms et le reste, mais ils n'ont jamais rien dit, liés par un pacte d'enfer, celui qui trahit meurt. Et ce n'étaient pas eux qui décidaient.

– C'était qui ?

– J'ai ma petite idée sur la question. Comme tout le monde ici.

– La fille enlevée cette nuit, son mec tué. La nana crucifiée. Il y a un truc, non ? On n'a jamais revécu des horreurs pareilles depuis… Depuis le Monstre. Pourquoi ici, pourquoi maintenant ? Vous en pensez quoi ?

– Je ne pense pas. Je ne suis pas payé pour ça.

Sauf que, bien sûr, il sait. Penser, c'est gratis. Mais ça peut coûter cher.

Nino ne lâchait pas prise :

– Capitaine, si la première fille n'a rien à voir avec le *modus operandi* d'autrefois, le couple de cette nuit, quand même…

Rouge d'excitation maintenant :

– Les données ont été répertoriées ? Rentrées dans les fichiers ? Recoupées ?

– Les données comme tu dis… c'est mort, Nino. Les archives ont été bouffées par les rats. Mais ne t'inquiète pas, on va avoir du spectacle. Ils vont tous converger ici maintenant. Les UACV. La SASC. L'ESC. Un bonheur ne vient jamais seul…

– Je vous demande pardon ?

– Unités d'analyse de crimes violents, avec leurs enquêteurs pour les scènes de meurtres. Les experts, quoi.

– Ah oui. Oui, capitaine.

Jacopo refit un tour complet sur son fauteuil à roulettes. Revenu en face de Nino, il l'immobilisa avec ses pieds. *Répondre. Respirer.*

– Tu sais, Nino. C'était la préhistoire. Ces bourdes qu'on a faites… On ne savait pas ce qu'était un serial killer, pas de ViCAP, le programme d'investigation du FBI sur les meurtres sexuels, ni d'Ebi, son équivalent européen, aucun moyen de partager nos découvertes avec la police d'autres pays, pas de profileurs ni de criminologues, et aucun expert sauf en balistique. L'ADN, c'était le futur. Une fois, l'assassin a déplacé la voiture des victimes : personne n'a songé à relever les empreintes sur le volant. Qui peut croire un truc pareil ? Du grand n'importe quoi.

– Et puis ?

– L'enquête s'est enlisée. Pacciani, le suspect principal, a été retrouvé mort en 1998. *Game over.*

– Comment ça a débuté ?

– Trente ans avant, en 1968. Double assassinat d'un couple adultérin, comme on dit. On a coffré le mari, un pauvre type qui confondait son pied gauche avec le droit. Cocu comme c'est pas permis. Les amants de la femme ont été mis en examen, mais ça n'a rien donné. Ça a recommencé six ans plus tard, en 1974. Un jeune couple abattu pendant qu'il faisait l'amour dans sa voiture, la nuit. La fille criblée de quatre-vingt-seize coups de couteau. Un sarment de vigne planté dans le vagin. Mais jamais on n'aurait pu imaginer à l'époque que le premier double crime de 1968 et celui-ci étaient connectés.

– Alors comment vous avez su ?

– Une lettre anonyme. Pratique, non ? Par miracle, les preuves du premier assassinat de 1968 n'avaient pas été foutues en l'air. Plus une affaire de chance et de mauvaise gestion qu'autre chose. Et là, second miracle : les cartouches, marquées d'un H, étaient identiques. Les coups avaient été tirés par la même arme, un Beretta .22 Long Rifle.

– Qu'est-ce qui s'est passé après ?

– À partir de 1981 et jusqu'à 1985, ça s'est déchaîné. Deux couples rien qu'en 1981. Même froideur d'exécution : les filles poignardées, les garçons aussi, mais *post mortem* ; les pauvres bougres avaient encore leur slip aux genoux. Exécutés d'un coup – ou deux – de .22 Long Rifle. Tu imagines les médias. Ce cirque. Le sexe et la mort, tout le monde en raffole.

– C'était la nuit. L'assassin suivait la scène de très près, on dirait. Des lunettes à infrarouges ?

– Des lunettes à infrarouges... je ne crois pas, non. C'était le monde d'avant, mon garçon. En 1983, il est arrivé un truc bizarre : deux jeunes mecs ont été tués avec la même arme. L'un d'entre eux avait les cheveux longs, on l'avait probablement pris pour une fille. Enfin, c'est ce qu'on a pensé. Pas de mutilations *post mortem* ce coup-ci. Et puis un autre double meurtre en 1984. Cette jeune fille, Pia Rontini... pauvre petite. Son père est mort d'un infarctus devant le commissariat, il n'y a pas longtemps. Après une vie passée à enquêter. Je ne peux même pas imaginer le calvaire qu'il a vécu. Aucun cœur ne peut résister à ça. Il m'a fait de la peine... Pourtant à l'époque je n'avais pas encore mes filles ; je n'étais même pas marié. Mais il faut croire que la paternité, c'est *a priori*. Bref. Qu'est-ce que je disais ? Ah oui, j'en étais au dernier assassinat, en 1985. Deux Français. Une boucherie. La seule fois où le serial killer a eu la hardiesse d'envoyer à Silvia Della Monica, le substitut du procureur de la République et seul magistrat femme de l'époque, un lambeau du sein de sa victime. Ça aurait pu lui coûter cher. Est-ce que, par la suite, cette enveloppe a fait l'objet d'un test ADN ? C'était l'une des très rares preuves « directes », puisqu'il s'agissait d'un morceau de corps de l'une des victimes. Mais, comme avec tant d'autres indices, pff... envolé ! Et après ce meurtre, plus rien. Silence complet. C'était fini.

Et bien fini, tiens. Marrant, quand même, parce que c'est après le dernier assassinat de 1985 qu'on avait envoyé Pacciani derrière les barreaux. Mais pas tout de suite, ce qui aurait expliqué que la série s'arrête là. Non. En 1991. Bordel. La vie est un polar mal écrit.

Nino n'avait pas bougé. Figé, l'air concentré. Sans mot dire, il s'était levé. Il était déjà sur le pas de la porte lorsque Jacopo le rappela :

– Ça va mieux, toi ?

– Ça va, capitaine. J'avais juste mangé un truc qui est pas passé. Vous en faites pas.

Pressé de partir maintenant. Tout à coup, Jacopo n'avait plus envie de rester seul. Pour quoi faire ? Continuer de ruminer ? Le garçon se dandinait d'un pied sur l'autre. *Comme un enfant qui a envie de faire pipi. Un vrai môme, ce Nino.*

– Et ta nouvelle copine ? Maria-Suzana, c'est ça ?

Gêné :

– Je ne la vois plus.

Le capitaine se tut, puis souffla :

– Ça ne marchait pas ?

– Pas vraiment. On n'était pas, comment dire, sur la même longueur d'onde. Mais on s'est quittés bons amis.

– C'est bizarre, j'y crois pas.

– Pas grave, capitaine. Vraiment.

Nino regardait la porte. Hésita. Se tourna de nouveau vers son supérieur :

– Est-ce qu'on a avancé sur les appels anonymes de l'autre soir ? Pour la crucifiée ?

– On a identifié les cabines téléphoniques d'où les six coups de fil ont été passés. J'ignorais que certains de ces vieux machins fonctionnaient toujours. Mais des empreintes sur un téléphone public…

– Et en ce qui concerne la nuit dernière ? Des pistes pour la fille enlevée ?

– Que dalle.

– Vous croyez, vous, que le Monstre est revenu ? Les journalistes le pensent, et il y a pas mal de bruits de couloir chez nous.

– Il serait un peu trop vieux pour remettre ça. On est en 2014. Admettons qu'il ait été âgé d'environ vingt-cinq ans en 1968… Il en aurait plus de soixante-dix aujourd'hui.

– Il doit y avoir un truc quand même, capitaine. Pourquoi quelqu'un le copierait ?

– Nino. Cette histoire, c'est le labyrinthe de la mort. Trop de monde s'est cassé les dents là-dessus. Il y a eu tellement de suicides, tellement de procès. Laisse tomber. S'il te plaît.

– Ne vous inquiétez pas pour moi. J'ai des moyens que vous n'avez jamais eus. Je vais voir ce que je trouve. Je vous tiendrai au courant.

Jacopo soupira encore et, cette fois, le garçon tira la porte derrière lui sans entendre les derniers mots que le capitaine murmurait :

– C'est reparti pour un tour, on dirait.

H.S.

Le cinquième ange sonna de la trompette et je vis une étoile qui était tombée du ciel sur la terre.

vous me faites peur. Arrêtez

Et je vis les chevaux: ceux qui les montaient avaient des cuirasses couleur de feu, et d'hyacinthe, et de soufre.

tête qui tourne, l'air siffle, ballon crevé. Mordre, griffer

Au-dessus d'elles l'ange de l'abîme, appelé en hébreu Abaddon, en grec Apollyon, et en latin l'Exterminateur.

laisse-moi partir. Je t'en supplie. Je te donnerai de l'argent. Mes parents feront tout ce que tu leur demanderas

Les têtes des chevaux étaient comme des têtes de lions, et de leur bouche sortaient du feu, de la fumée et du soufre.

ils payeront ce que tu veux

Par le feu, par la fumée et par le soufre qui sortaient de leur bouche, les hommes furent tués.

pourquoi ? Je t'en prie, je ne veux pas. Je t'en prie, je t'en prie, ne fais pas ça

Ce jour-là, les hommes chercheront la mort, et ils ne la trouveront pas ; ils désireront mourir et la mort fuira loin d'eux.

tendres yeux pleins de larmes, soie déchirée, eau qui s'ouvre, bruit de sucre cristal de neige, pare-brise aux fleurs glacées, lame, peau lacérée, terre labourée brune et blanche, pourpre et grenat

plus de printemps. Laisser filer. Fermer les yeux

Sur leur tête il y avait comme des couronnes ressemblant à de l'or, et leurs visages étaient comme des visages d'hommes.

Regarde-moi maintenant.

l'étoile est tombée. S'ouvre la porte de paix.

Et malheur à ceux qui appellent le mal bien et le bien mal, qui changent les ténèbres en lumière et la lumière en ténèbres. La grande prostituée s'accouple au Monstre à sept têtes. Chacun joue son rôle dans le dessein de Dieu. Les bons et les méchants sont nécessaires au monde. Elles meurent pour nos péchés, lavent nos cœurs et brûlent nos souillures. Le Père ne tue personne et jamais Il n'ordonne de tuer. Ces enfants qui viennent à vous avec leurs couteaux sont vos propres enfants. C'est par vous qu'ils ont été éduqués. Le Père vous met face à vous-mêmes. C'est par le libre arbitre que vous serez guéris. Ou perdus à jamais.

Benedetta, visage tourné vers l'azur, s'envola sans se retourner.

Miles

Couvent de Tosina, soir de juin.

– Tu as vu l'heure ? C'est maintenant que tu rentres, Indiana ?

– Arrête, papa. Une demi-heure de retard, non mais je rêve.

– Tu étais où ?

– Si j'étais un mec, jamais tu ne me ferais ce coup-là.

Exact, Indie. Mais tu n'es pas un garçon. Tu es ma fille et tu as dix-sept ans.

– C'est vrai, Indie. Mais tu n'es pas un garçon. Tu es ma fille et tu as dix-sept ans.

C'est sorti tout seul. Ça la rend dingue :

– De quelle chaire vient le prêche, j'y crois pas. Trouve-toi une meuf, p'pa, sans blague. Balaye devant ta porte avant de m'imposer tes règles à la con. Et lâche-moi.

Touché, Miles. Elle a raison. Mille fois raison. K.-O. mon vieux.

Dispute suivie d'une nuit blanche. Premier café. Fenêtre ouverte sur Florence cachée dans la brume. Toiles d'araignées entre les oliviers. Odeur de terre morte, de mousse, d'humidité. L'ombre des nuages court sur la vallée. Ma vie. Celle d'Indiana. Les choix que je lui impose. Ma fuite. Mes responsabilités.

Furia dans la cuisine me regarde comme s'il n'avait pas mangé depuis cent ans. *Deux secondes, mon chien.* Cigales qui démarrent, il n'est que 7 heures et il fait déjà vingt-cinq degrés. Radio allumée, volume au minimum, *nouvelle bavure aux États-Unis. Un policier blanc a abattu à bout portant un homme noir qu'il interpellait à Phoenix, Arizona. Outre Akai Gurley et Eric Garner, des Noirs non armés ont été abattus par des policiers blancs dans trois autres affaires récentes. La plus marquante s'est déroulée à Ferguson, où des émeutes avaient éclaté après la mort du jeune Michael Brown, tué par un policier en pleine rue. Déjà, un grand jury avait décidé de ne pas envoyer ce policier devant les tribunaux, estimant que l'agent avait agi en état de légitime défense. À Cleveland, Ohio, un policier débutant avait également tué un jeune garçon de douze ans qui jouait avec un pistolet factice. Le ministre de la Justice Eric Holder a annoncé que les premières conclusions d'une enquête menée sur cette affaire étaient accablantes et que la police avait fait un usage*

« excessif » de la force. « Nous sommes confrontés à des problèmes de portée nationale qui menacent le pays tout entier », a récemment reconnu le ministre de la Justice, lui-même afro-américain.

Ça recommence, on dirait. Ou alors ça ne s'est jamais arrêté.

Si on m'avait dit enfant, à Monroe, ce que je deviendrais, je n'y aurais pas cru. À ma naissance, en 1959, maman avait décidé de prendre soin de nous plutôt que continuer d'enseigner. Je n'ai compris que bien plus tard pourquoi.

J'avais neuf ans quand nous sommes allés vivre à La Nouvelle-Ibérie, quittant la maison couverte de bardeaux, le chien Bongo que les voisins ont recueilli, et le reste : la pluie à ciel ouvert sur les canopées. Les lichens qui pendaient aux branches comme des algues sous la mer. Le pacanier qui lâchait ses noix sur le toit de ma chambre, et ça faisait un bruit de tambour qui me réveillait la nuit. Maman confectionnait des tartes avec ces noix de pécan. En rentrant de l'école, j'en trouvais une part dans le four, ainsi qu'un verre de lait. Je mangeais sur la table de ferme qu'elle cirait le samedi. Tout ça a pris fin d'un coup. Comme une punition que je n'avais pas méritée.

Le chant des cigales couvre maintenant le bruit du tracteur sous ma fenêtre. Deuxième journal du matin à la radio, *Soupçonné de vente illégale de cigarettes, Eric Garner, quarante-trois ans, a été plaqué au sol par plusieurs policiers à New York. L'officier Daniel Pantaleo l'a pris par le cou et immobilisé au sol. Obèse et asthmatique, Garner aurait répété à sept reprises «* I can't breathe, *Je ne peux pas respirer», avant de perdre connaissance. Il a été déclaré mort après son transfert à l'hôpital. Le procureur de Staten Island Daniel Donovan a expliqué qu'« après délibération sur les éléments de l'enquête qui lui a été présentée, le grand jury a trouvé qu'il n'y avait pas de cause raisonnable de voter pour une inculpation de Daniel Pantaleo ». Le policier a aussi expliqué qu'il n'avait « jamais eu l'intention de faire du mal à qui que ce soit » et qu'il n'avait fait qu'employer une technique enseignée lors de sa formation.* Non, ça ne recommence pas. Ça ne s'est jamais arrêté. On a cru... Mais qu'est-ce qu'on a cru ? Qu'avec l'élection d'Obama tout changerait ?

Ma vie. Celle d'Indiana. Ma fuite. Ma responsabilité. Quand est-ce que j'ai basculé dans l'adolescent qui ne foutait rien, qui rentrait une nuit sur deux, qui rendait ses parents malheureux ? Pourquoi ce brave gosse s'est-il transformé en tête de nœud méprisable ? À quel moment ai-je trébuché dans mon histoire ? Quand l'une de mes petites amies m'a annoncé qu'elle était enceinte, quand je l'ai épousée ? L'enfant fantôme n'a jamais vu le jour. J'ai divorcé six mois plus tard. Et je suis parti à l'école militaire. Mauvais timing. Je n'avais pas dix-neuf ans et je savais tout. Mais à l'intérieur de moi, je tremblais. Honte et humiliation mêlées. Si facile d'entraîner soixante-quinze kilos de muscles et de connerie. Si facile de me façonner. Les jeunes cons, ça se ramasse à la pelle. Jamais on ne manquera de matière première, vieille lune qui marche pour toutes les occasions. Les guerres. Les expéditions. Les opérations. Appelez ça comme vous voulez.

Brasier. Ordres aboyés. La souffrance, les cris. La déchirure. L'alcool. La drogue. Les ordres aboyés, *Ne pas y penser. Ne pas y penser.*

Revenir de chez les morts n'est pas la même chose qu'être vivant.

À vingt-trois ans, retour dans le monde qu'on appelle réel. Changement de peau. Inscription à la fac. Lettres et philo. Je suis devenu professeur adjoint à l'université. Mais le gosse perdu et le gros con ont continué de cohabiter.

La décision prise par le grand jury de ne pas poursuivre Daniel Pantaleo, vingt-neuf ans, a été révélée par le New York Times *et le* New York Post *mais n'a pas été annoncée par les autorités judiciaires.*

Aujourd'hui, à Florence, je ne passe jamais un seuil sans qu'un concierge me hèle pour me demander – courtoisement, certes – mon nom et la raison de ma visite. Je ne m'y suis jamais habitué, pourtant, à mon âge, je devrais. Ce n'est pas la manière dont je suis habillé qui rend les gens nerveux : je porte le plus souvent des pantalons gris, des chemises blanches ou des T-shirts sombres et une veste. Je lis à l'aide de lunettes à monture métallique que j'oublie le plus souvent sur mon front et j'ai une barbe courte bien taillée. Rien d'un terroriste ou d'un déséquilibré venu descendre son chef de rayon. Mais il suffit d'une seule goutte de sang noir pour faire de vous un Noir. Je suis plus foncé que mon père, et même si maman était d'un blanc irréprochable, j'ai hérité de la couleur de mes ancêtres paternels : mon arrière-arrière-grand-mère Patience a été achetée par un certain Thomas Lemoine en 1781 et emmenée dans la ville d'Orléans, qui n'était pas nouvelle à l'époque. Elle s'y est mariée avec l'arrière-arrière-grand-père Basil, qui faisait déjà partie des acquisitions du maître. Mon nom de famille est Lemoine, comme celui du propriétaire de mes aïeuls. L'un des collatéraux de maman, probablement, puisqu'elle descend de son côté d'une lignée de négriers. Pas le nid le plus simple où voir le jour.

Je ne sais pas si ce qu'on raconte sur les Noirs est vrai. Je ne sais jouer d'aucun instrument, je n'ai pas le rythme dans la peau, et mon sexe n'est pas un motif insensé de fierté. D'opprobre non plus.

Si j'étais blanc, ce qui précède pourrait indiquer que je suis raciste. Mais je suis noir. Alors j'ai le droit de dire ce que je veux. Amusant. Dommage que ça ne m'amuse pas du tout.

Je me souviens, enfant, de ce trajet entre Monroe et la ville où nous allions nous installer. De la place qu'aurait dû occuper notre chien Bongo près de mon siège. De la pluie qui rayait la vitre. Du soir qui tombait alors que nous abordions une zone de marais. De la crainte qui m'a réveillé alors que je dormais. Mes parents, en train de parler à voix basse, s'étaient tus. Le cœur battant, j'ai collé mon nez à la vitre et regardé défiler une trentaine d'hommes à cheval, encapuchonnés et tout de blanc vêtus, le premier portant une sorte de bannière, le dernier une corde nouée.

Je me souviens des questions qui ont afflué à mes lèvres et que je n'ai pas posées. De la voiture de mon père que l'on aurait dite engluée dans un espace-temps décalé, de ce petit garçon qui regardait par la vitre la pluie qui venait la rayer, et de ces hommes à cheval qui s'éloignaient.

Le bruit des cigales couvre tout. Le soleil est haut sur les champs, il y a longtemps que le tracteur est rentré. Indiana va être en retard au lycée.

L'autopsie effectuée à l'institut médico-légal de Careggi a révélé que la femme crucifiée est décédée par suffocation. Les analyses histologiques et toxicologiques sont en cours. Selon les enquêteurs, rien dans la mort de la jeune femme ne permet de faire le lien avec le meurtre de Claudio Meli et la disparition de sa passagère, Benedetta Donati. La femme crucifiée ne serait que la énième victime de crimes dans les coulisses de la petite criminalité. Le juge d'instruction Battista Montesecco dans son interview à La Repubblica *a déclaré...*

J'éteins la radio quand ma fille descend. Elle boude son petit-déjeuner, sac sur l'épaule. Part sans m'embrasser. Le bruit du moteur de sa Vespa s'éloigne. J'enfile un short, mes tennis et un débardeur. Furia lève une oreille, ouvre les yeux, puis se tourne trois fois sur lui-même et se remet à roupiller.

Après le lavoir, le chemin s'étrécit et grimpe. Ça claque, l'asphalte est déjà chaud. Je transpire, le premier kilomètre se fait à l'adrénaline, j'attaque le deuxième en soufflant. Doigts qui fourmillent, poumons en feu. Ça continue de monter, la fraîcheur sous les arbres sèche la sueur sur ma peau. Il fait froid à l'ombre. Mollets qui tirent, bras lourds, mal au ventre. Vertige. *Respire.* Après la petite échoppe où l'on peut acheter des cigarettes par paquets de dix et des tomates en provenance directe du potager, la route blanche se perd dans le bois. Rythme lent. Ça sinue entre les pins. Odeur de résine dans l'air, terre plate moelleuse élastique sous les pieds, bientôt la moitié du parcours, fermer les yeux, picotements au bout des orteils, le vent traverse les vallées, arrive en vagues qui balayent la forêt. *Respire.*

Un sanglier sort du taillis à quelques mètres de moi. Nous nous jaugeons, vieux mâles au poil gris.

Il me renifle. Moi aussi. Ambre et fougères, musc et foin. Nous demeurons rivés l'un à l'autre, son regard dans le mien. Il n'a pas peur. Plutôt l'air d'en avoir marre. Il s'ébroue, traverse, repart.

Sous la douche, je sens encore son odeur. Et alors je pense à Sienna. À cette première nuit. Où tout était possible. Où rien n'était encore arrivé. Je m'assieds dos au carrelage et laisse l'eau couler sur moi. *Respire.*

Respire.

Jacopo

Florence. *Comando* des carabiniers, borgo Ognissanti. *Un salopard qui se serait grillé le crâne au crack ou à l'oxidado – une nouvelle drogue brésilienne, comme si on n'avait pas assez des nôtres – et aurait bousillé sa marchandise à titre d'exemple ? Ou pris d'une lubie, pour rigoler un coup ? Ça ne colle pas. Trop show-off. Et combien étaient-ils à la voir mourir, cette petite ? Ça ne colle pas, mais alors, pas du tout.* Jacopo était en rogne, faisant les cent pas dans son bureau, prenant un crayon, le mâchonnant, le reposant. Lançant ses poings en l'air, boxant le néant. Il n'avait jamais fumé autre chose qu'un cigare de temps en temps, le soir, devant une grappa, mais là, il aurait bien piqué une cigarette à quelqu'un. Cette histoire, il n'y comprenait rien. Ce Monstre. Du nouveau greffé sur du vieux. Une resucée du mal éternel, l'une de ses perpétuelles mutations.

Jacopo maudissait Mattotti et sa manie de cloisonner les enquêtes, sa propre carrière qui n'avait jamais démarré et, par-dessus tout, son incapacité à s'en foutre et à faire son boulot sans se poser de questions. Impuissance et colère. Les deux constantes de sa vie. Déployer ses antennes dans les différents services n'avait rien donné. Il n'allait pas se mettre à la recherche d'un vieux tueur sucrant les fraises dans une maison de repos, faire du *cold case* et tenter de résoudre des affaires préhistoriques. On n'était pas dans une mauvaise série américaine, de celles que les chaînes de Berlusconi avaient achetées par paquets et qui passaient non-stop sur ses télés. Ses informateurs habituels se terraient dans des trous de souris. Terrifiés. Et pourtant. Le capitaine connaissait par cœur cette ville où il était né, *haine passion passion haine passion haine, ambivalence qui dure depuis des décennies. Comment ne pas aimer cette splendeur à couper le souffle et qui persiste et qui transperce la décadence qui s'accélère, le massacre que Florence accomplit sur elle-même, ville boutiquière dans le mauvais sens du terme, courtisane et mère maquerelle, ville en solde, ville déshonorée, le centre historique vidé de ses habitants pour laisser place aux commerces les plus infimes, pacotille et guichets bancaires, partout saleté, publicités et enseignes sauvages, un manque total de contrôle excepté les amendes pour stationnement interdit – de l'argent frais quotidien versé directement dans les tiroirs-caisses, les caisses de quoi, qui servent à qui, il est où celui qui tient les cordons de la bourse ? Jour après jour cette beauté perdue meurtrie violée blesse mon cœur, les* sanpietrini *couverts d'asphalte sont autant de pavés dans l'étendue de ma colère, Florence se meurt, Florence est morte, il n'en reste que les os sanctifiés par le tourisme, merci Matteo Renzi, maire pendant cinq ans, merci les administrations sans âme qui lui succèdent, sans âme, sans couilles, sans vision, amen.* Et sa région, la Toscane, l'une des plus belles du monde. Jacopo avait expérimenté de l'intérieur le cynisme des paysans enrichis, l'arme du grotesque portée à l'excès, le blasphème comme neuvaine, simple allitération dans le dialecte local, et ce fatalisme teinté d'une ironie qui griffait jusqu'au sang, la faim sexuelle dans les campagnes, le sentiment d'enfermement des hommes, la frustration des femmes. La Toscane rurale était un terroir fertile en supplices de Tantale. Sa population était passée de la misère des *terre povere*, crêtes de Sienne et de San Gimignano, à une économie nourrie par le tourisme d'élite, sans que son cœur change, ni sa conception de la vie. Étroite. Envieuse. Sèche. La flambée sanglante laissée par le Monstre dans les années 1970 et 1980 était un cyclone qui avait tout arraché, tout emporté. Une ère qui s'était close laissant un paysage dévasté, des hommes assassinés par dizaines – quasiment tous les suspects avaient péri de manière violente ou disparu de manière bizarre. Jacopo avait traîné dans les bars de village, ces cafés où jamais les touristes n'entrent, où les gens parlent à mi-voix depuis toujours. Il savait qu'on savait.

Son intuition lui disait que la crucifiée et le couple agressé l'autre nuit étaient connectés. Statistiquement, il n'est pas possible que deux assassinats aussi brutaux se produisent dans le même périmètre en si peu de temps sans qu'un fil rouge les relie. Depuis quelques jours, le Monstre avait réussi, il ne savait comment, à rouvrir son cercueil. La dalle sur sa tombe avait été ôtée, la filiation acceptée.

Jacopo était jeune à l'époque où les meurtres avaient débuté, à peine plus de vingt ans. Un garçon terminant son cursus en sciences politiques, assez clairvoyant pour savoir qu'il n'allait pas changer le monde, assez idéaliste pour avoir envie d'essayer. Il s'était engagé dans les forces de l'ordre – ces mots qui étaient, au fond de son cœur, l'équivalent des forces de la lumière – pour s'apercevoir qu'en fin de compte là aussi l'ombre et la lumière n'étaient que les deux faces de la même réalité.

Le Monstre, quelle sinistre blague ! Depuis le début, Jacopo y avait vu une hiérarchie à l'œuvre. Les exécutions par un premier cercle « rustique », des voyeurs, des hommes couards et violents. Profil type, Pietro Pacciani, le leader de la horde, secondé par Mario Vanni, Giancarlo Lotti et Fernando Pucci. Eux, ils faisaient le sale boulot, coincer les couples dans leur voiture. Des chiens entraînés à dénicher les proies. Pacciani, poursuivi par la justice, mort sans que l'on sache quel avait été en définitive son rôle exact, était un monstre en soi. Mais un tout petit monstre. Un *mostriciattolo*, qui battait sa femme, violait ses filles, leur donnait à manger des boîtes pour chiens. Un salopard qui avait poignardé à mort, à vingt-cinq ans, le garçon pour lequel sa fiancée l'avait quitté. Après, il l'avait obligée à le sucer près du cadavre encore chaud. Ce genre de monstre, pas le Grand Démon. Quant à ses copains, Vanni, Lotti et Pucci... des déchets humains. Un QI de poulet sans tête, une sensibilité de crocodile.

Pour Jacopo, ces monstrillons œuvraient collégialement. Ensuite venait le deuxième cercle, celui des chasseurs. Des cols blancs, plus difficiles à pister. D'une classe sociale élevée, des notables ayant beaucoup plus à perdre que les balourds auxquels ils avaient affaire. Ils achevaient les proies que les chiens avaient déjà déchiquetées. Puis on trouvait le troisième cercle, le plus dangereux. Le capitaine était convaincu que des hommes de son entourage en avaient fait – en faisaient ? – partie. Des hauts gradés insoupçonnables. Qui a dit que les serial killers travaillent en solo ? Les profileurs ? Les criminologues ? Il connaissait le terrain autant qu'eux, à force. Mais ses doutes, il les gardait pour lui. Ça valait mieux. Il était certain que l'un des innombrables magistrats qui s'étaient succédé sur l'affaire du Monstre avait les mains sales. Il ne fallait pas en parler, le péril étant de passer pour un *dietrologo*, un complotiste. Il se mit à réfléchir, et ce n'était pas la première fois, au film posthume de Pier Paolo Pasolini, *Salò ou les 120 journées de Sodome*, censé être une allégorie du pouvoir. Le Duc, Monseigneur, Son Excellence et le Président – les Seigneurs – se réunissent dans une somptueuse demeure de Salò, à la toute fin de la République sociale italienne. Ils y font venir des filles et des garçons – vendus par leurs familles, ou enlevés de force – qu'ils réduisent à l'état d'objets. Tandis qu'ils philosophent et se racontent des blagues obscènes, leurs victimes sont soumises aux viols les plus écœurants, puis exécutées pendant que leurs bourreaux les regardent mourir par la fenêtre à l'aide d'une longue-vue. Métaphore ? Plus ça allait, plus il était convaincu que Pasolini savait. Ce témoignage filmé était à prendre au pied de la lettre. Rien n'est plus contagieux que le mal, disait-il. Alors, complotiste, Jacopo ? Si cela signifiait, comme le rappelait Pasolini justement, que la théorie du complot libère l'esprit de l'obligation de se confronter à la réalité, alors oui, il allait enfreindre franchement les règles et continuer de penser ce qu'il voulait. Il avait vu trop d'accidents de voiture, d'empoisonnements à l'oxyde de carbone et autres morts suspectes parmi les différents témoins pour que sa candeur demeure intacte. Jeune homme, de telles conjectures lui auraient paru inconcevables. Cependant, plus il vieillissait, plus son innocence s'effritait. Il avait connu des collègues qui s'étaient donné la mort après des burn-outs féroces. Pas lui. Il ne s'était jamais couché. La haute idée qu'il se faisait de sa mission avait compromis toute promotion. Trop monolithique, le capitaine. Rétif aux accommodements. Les missionnaires ne sont bien vus nulle part, Savonarole odieux qui vous collent face à vos péchés. On sait comment le moine prêcheur a fini, à force de casser les oreilles à tout le monde avec ses *terrifica praedicatio*. Terminer sur un bûcher est une apothéose professionnelle flamboyante. Au sens propre comme au figuré.

L'amertume l'avait envahi ces derniers temps. Mais les loups solitaires ont leur cœur pour les soutenir. Et Jacopo pensait que le matin il aimait mieux voir sa tête dans le miroir plutôt que celle de Mattotti.

L'après-midi, une nouvelle atterrit dans toutes les rédactions. Le corps de Benedetta avait été retrouvé dans une manufacture de tabac abandonnée de la banlieue de Florence. La jeune femme avait été tuée de seize coups de couteau. Le sein gauche amputé. Son corps avait été lavé et recousu. On lui avait fait revêtir une longue tunique transparente qui lui descendait aux chevilles. De sa bouche sortait une branche de roses sauvages, de celles qui parfument les sentiers de campagne au printemps. Les plus modestes, les fleurs que personne ne plante ni n'arrose. À ses pieds on avait répandu des myosotis et les premiers coquelicots.

H.S.

Quand je ferme les yeux, je retrouve la fraîcheur de l'eau. Sur les dernières photos, elle a les mains croisées sur le ventre ; je ressens la chaleur de ses doigts qui me caressent. C'était lumineux là-dedans, comme si le soleil traversait sa peau, comme quand on masque d'un voile un abat-jour. Tout était rose et tiède, j'étais si bien, il faisait chaud ce jour-là autour de la piscine, ses amis riaient et batifolaient, elle restait à l'ombre, un peu fatiguée, j'étais si lourd, prêt à venir au monde, ça n'allait plus tarder. Maman était en maillot de bain, une grande culotte froncée et un foulard autour de ses seins gonflés de lait. Les photos montrent ses cuisses fuselées malgré la grossesse, ses jambes splendides et ses fesses rondes, haut placées. Pieds nus, cheveux noués sur la nuque, yeux à peine soulignés par un maquillage léger.

Ma maman. La plus belle. Tout le monde le disait.

C'est par la fille au sang doré que le monde sera sauvé. Nous serons de nouveau nus et heureux, sans honte, sans culpabilité. Le dernier sacrifice. La progéniture élue, née d'une reine noire et du fils de Dieu. Je suis ravi – épuisé, mais serein. Je sais que c'est juste le début. Je les verrai venir, et je leur sourirai.

Maintenant, le monde va écouter.

Indiana

Soir de printemps. Praticino, province de Florence.

Il pleut. L'herbe se couche sous l'ondée, frémit dans l'air tiède. Un éclair puis un coup de tonnerre, en succession rapide. L'orage tourne autour de la Land Rover d'occasion garée au bout d'un chemin bordé de murets de pierres sèches. Le vent a ployé les branches des églantiers, faisant tomber les pétales des fleurs sur la voiture blanche. La pluie les colle contre le pare-brise emboué. Indiana est assise à califourchon sur un garçon, encore à moitié vêtu.

– Tu es sûre, *amore* ?

– Je veux le faire.

– Embrasse-moi.

– Ne me laisse pas tomber. Va jusqu'au bout.

– Embrasse-moi. Encore.

– Qu'est-ce que... ?

– Quoi... ? Relève-toi. Vite, vite, Indie !

À l'intérieur de la voiture Nathan et Indiana, étendus sur la banquette arrière, se redressent d'un coup, Indiana traversée par un frisson qui glace sa peau nue. Comme les animaux qui sentent le danger, elle s'est dégagée des bras de Nathan et a levé la tête un instant. Pour deviner, juste derrière la vitre, une silhouette hâtive. Elle enjambe son ami, essayant d'attraper la clé de contact et de regagner la place derrière le volant, s'emmêlant dans les jeans et les chaussures en vrac. D'un seul mouvement Nathan réussit là où Indiana a échoué. Pour s'apercevoir que la clé de contact est tombée dans le foutoir à leurs pieds. Indiana hurle. C'est comme si brusquement la nature autour d'eux avait mué. Les ombres de la nuit gagnent leur refuge de tôle et de pétales. Elle a la sensation de se mouvoir dans un cauchemar, irrésolue et lente. Nathan retrouve la clé, démarre tandis qu'elle essaie toujours de se rhabiller. La Land Rover fait plusieurs sauts, s'immobilise sur le bas-côté, le moteur noyé. Mais Nathan parvient à remettre le contact, et la voiture bondit.

Ce même soir, à un kilomètre à peine du lieu de l'agression, Nathan et Indiana tombèrent sur une fourgonnette de carabiniers. Contrôle des papiers. Rien à déclarer ? Indiana tremblait encore, mais fit comme si de rien n'était et se tut à propos de ce qui venait de leur arriver. Nathan se tut également, mais il en avait « gros sur la patate », comme il le dit plus tard à Indiana. Il lui avait souvent demandé de parler de lui à son père, quitte à faire les présentations – il ne lui faisait pas peur ! –, mais elle procrastinait, ayant recours à toutes sortes de prétextes. Jusqu'à ce soir, où elle avait refusé de raconter aux forces de l'ordre l'étrange mésaventure qu'ils venaient de vivre. Tout ça pour éviter la confrontation avec son père. Indiana se mit à pleurer. Le contrecoup de tout à l'heure, sans doute. Nathan soupira. La prit dans ses bras, la berça. Ce ne serait pas encore pour ce soir. Il calma comme il pouvait la jeune fille qui sanglotait. Il ne pensait qu'à elle, en était raide croque, et ses études à la fac de droit en payaient l'écot, sans parler de ses performances sur le terrain de rugby qui n'étaient plus au top depuis plusieurs mois. Au point que son équipe songeait à changer de capitaine. Normal. Il dormait peu, se nourrissait n'importe comment. Oui, bon, il était amoureux. Mais il en avait assez.

– Tu parles de nous à ton père. Ça suffit les conneries, compris ?

– Oui.

– C'est promis ?

– C'est promis.

Jacopo

Florence, Pian dei Giullari, 6 heures du matin. Jacopo avait eu de la fièvre cette nuit-là. Il rejetait ses draps trempés de sueur. Il claquait des dents. Il cherchait de nouveau les draps tombés à terre pour s'en couvrir. Il recommençait à transpirer. Dans ses cauchemars, un tueur le poursuivait. Il prenait l'ascenseur pour lui échapper, l'assassin montait l'escalier en courant. Il redescendait, et l'entendait dévaler les marches derrière lui. Il n'avait trouvé un semblant de sommeil qu'au point du jour.

Pieds nus et en peignoir, il sortit de la cuisine. Dehors il faisait presque chaud déjà. Un soleil clair jetait ses rayons sur un monde en paix et l'air sentait le chèvrefeuille qui grimpait aux murs de sa maison. Les grosses fleurs du *Magnolia grandiflora* venaient d'éclore. Jacopo respira leur parfum si semblable à celui des meringues que sa grand-mère enfournait le dimanche pour le déjeuner. Cette maison, une villa du Cinquecento qui tombait en ruine, lui venait d'elle. Sa femme, Colomba, avait adoré la Villa Selvaggia, ainsi que le parc qui donnait sur l'arrière de la Torre del Gallo, la chapelle du Settecento, et la longue file de cyprès noirs et d'oléandres blancs qui ponctuaient le chemin en gravier rose pâle. Toute proche à vol d'oiseau de la maison de Galilée, Il Gioiello, « Le Joyau », où le vieux savant avait vécu après l'abjuration et la cécité jusqu'à sa mort, en 1642. Un voisinage qui avait l'avantage de lui rappeler combien il est malvenu de se mesurer à sa hiérarchie et au pouvoir en place. Quitte à être rattrapé et sanctifié par la postérité, mais ce genre de satisfaction a ses limites. Jacopo se disait que ses aïeules connaissaient et probablement fréquentaient le vieil homme en exil. La Villa Selvaggia avait cela de fascinant que le temps y était réduit à un flux régulier, les êtres humains brillaient un instant puis s'éteignaient mais les maisons et les jardins survivaient. Certains arbres datant de Galilée ombrageaient encore le quartier.

Jacopo avait souvent plaisanté avec Colomba au sujet de la villa, lui demandant si elle était tombée amoureuse de lui ou de sa demeure familiale. Et elle, incapable de mentir, tournait alors la tête et souriait comme Monna Lisa. C'était avant. Avant qu'elle le quitte, le printemps où il s'était mis à courir après le Monstre. Ils étaient restés plusieurs mois sans se voir. Jacopo se souvenait qu'il avait eu envie de mourir. Ne l'avait avoué à personne.

Et surtout pas à Colomba, qu'il avait réussi à reconquérir par la suite. Qu'il avait épousée, fier comme un pou aux côtés de cette femme idéale. À laquelle il avait fabriqué avec empressement trois filles divines. Mais avant... avant. À leur premier rendez-vous, effrontée et bien trop jolie, Colomba lui avait demandé pourquoi on appelait la villa ainsi. Il lui avait répondu que c'était simplement le prénom de la première propriétaire, Selvaggia D'Orto, « Sauvage du Potager ». « On dirait une salade », avait-elle répliqué en riant. Puis elle avait ajouté, « C'est marrant comme toutes ces filles de la haute ont des prénoms à coucher dehors. Chérie de Cobourg. Poupette Agnelli. Luminosa Montezemolo. » Elle avait rougi devant sa tête consternée. Mais à compter de ce jour, elle les avait aimés, lui et sa maison, d'une passion ardente. Jacopo était né dans l'une des grandes pièces du premier étage, comme sa mère, sa grand-mère, et toutes les femmes de sa famille depuis la Renaissance. Il était le premier mâle qui en héritait, ainsi que de son nom, puisque sa mère ne s'était jamais mariée et son père ne l'avait pas reconnu – pratique courante dans cette famille où les femmes n'avaient pas besoin des hommes, qu'elles mettaient régulièrement à la porte une fois les premières braises dispersées. Une fois qu'elles les voyaient tels qu'ils étaient, disait sa mère, c'est-à-dire dépouillés de tout fantasme amoureux. Faibles, vantards. Peu fiables. Parfois violents.

Passionnels sans être profonds. Jacopo lui avait toujours rétorqué qu'elles devaient, toutes ces femmes, chercher un compagnon répondant dès le départ à ces critères. Autrement dit, elles établissaient une sélection à l'envers. À partir d'un échantillonnage biaisé. Penser que ses filles reprendraient le flambeau de ce matriarcat... En somme, lui, Jacopo, n'était que l'accident de parcours d'une lignée de souveraines appauvries. Pas si grave, puisque dans le fond pour ce digne héritier de sa mère – mais il le nierait pour les siècles des siècles s'il le fallait –, le mâle lui-même était un accident. Un XY. En d'autres termes, et avec quelques notables exceptions, un couillon.

Le mot avait été déposé dans sa boîte à lettres. Écrit à la main et glissé dans une enveloppe sans timbre. C'était une espèce de poème en anglais, tracé au stylo-plume. Signé H.S. L'un des soupirants de ses filles ? Mais son nom, Jacopo D'Orto, était calligraphié au dos. Le capitaine l'approcha de ses narines. Ça ne sentait rien, ou plutôt si, ça sentait l'encre et le beau papier, des odeurs à moitié effacées. Il ne savait qu'en penser. Il mit la lettre dans la poche de son peignoir – et l'oublia.

Jacopo

Comando dei Carabinieri, borgo Ognissanti. Silvano Mattotti était tassé dans son large fauteuil, l'index enfoncé dans une narine, lorsque le capitaine frappa et entra sans attendre. N'ayant pas été convoqué après sa bourde sur les lieux où le jeune interne en médecine avait été tué et la fille enlevée – il avait eu un mal de chien à faire partir le sang de ses chaussures –, il allait de lui-même au-devant des emmerdes. Et accessoirement aux nouvelles. Par deux fois, sa brigade s'était trouvée au cœur des événements. Mattotti le reçut avec un regard étonné, se débarrassa de sa récolte sous la table et lui fit signe de fermer la porte derrière lui.

– *Dottore.*

– Capitaine.

– Je voulais m'expliquer, vous savez, à propos de l'empreinte de ma chaussure près de la voiture.

– Ça va, ça va. Tu l'as signalée, on a limité les dégâts.

– En fait, je voulais savoir aussi ce qu'on a découvert.

– Il y a une réunion tout à l'heure.

– *Dottore*, c'est ma brigade qui s'est retrouvée impliquée. Les deux fois. Je pense qu'on nous doit…

– Rien du tout. Tout le monde est logé à la même enseigne. Je ne vois pas pourquoi tes hommes et toi devriez jouir d'un traitement de faveur.

Jacopo baissa la tête. *Marre de baisser la tête, nom de Dieu.* Il la releva et fixa son chef sans bouger. Mattotti s'éclaircit la voix :

– Enfin, puisque tu es là… Le téléphone que vous avez repéré avait une carte prépayée…

– Achetée avec de faux papiers, j'imagine.

– Quelque chose comme ça. Rien de ce côté-là.

– Si je peux me permettre. Pourquoi avoir utilisé un téléphone si vieux ? On a trouvé des empreintes, des traces d'ADN ?

– C'est en cours.

– Le *gunshot residue* ? Sur le volant ? Un *stab* sur les mains du garçon ?

– Trop tôt.

– L'arme ?

– Un Beretta.

– Et la fille retrouvée dans la manufacture ? La Donati. Elle a été violée ?

– Non. Enfin, pas vraiment.

– Oui ou non ?

– On l'a sodomisée avec un corps étranger. *Post mortem.*

– Ce n'est pas comme ça que l'autre jeune fille, la crucifiée, a été tuée ?

– Qu'est-ce que tu en sais ?

– J'ai mes indics. Depuis le temps.

– Ah oui, ta copine du RIS, la biologiste. C'est quoi son nom, déjà ? Bella Ricci. Bel, comme elle préfère se faire appeler. Elle se la pète, mais il faut dire qu'il y a de quoi.

– Alors ? La crucifiée ?

– Violée, violée, et même plus que ça. Mais elle n'est pas morte d'une hémorragie interne. C'est le truc de la crucifixion, comment ça s'appelle déjà... ? Mais ça, tout le monde le sait maintenant. Même ces fouille-merde de la presse. T'as un train de retard, capitaine.

– Avec quel genre de... corps étranger... l'a-t-on violée ?

– Un manche à balai.

– Comment peut-on en être sûrs ?

– Une partie est restée à l'intérieur.

Les yeux de Jacopo ne quittaient pas ceux de son supérieur. Mattotti fut le premier à détourner le regard. Il reprit :

– Une prostituée, comme je l'avais dit. Roumaine. Irina quelque chose, Zadic, Radic. Dix-neuf ans. On essaye de contacter ses parents pour la reconnaissance du corps.

– C'est tout ce qu'on connaît d'elle ?

– Elle vivait avec sa gamine. Un an et demi. Mais on ne sait pas où elle créchait ni ce qu'est devenue la gosse.

– Vous avez mis qui sur le coup ?

– Salvini.

– Michele Salvini est un con.

– Je sais.

– Je peux m'en occuper ?

– Tu n'as que ça à faire ?

– Je préférerais.

– D'accord. Je mettrai Salvini sur autre chose.

– Qui ne fichera rien.

– Ce ne sont pas tes affaires.

– Une dernière chose. On nous l'a signalé, n'est-ce pas ?

– Quoi ?

C'est ça. Fais celui qui n'a pas compris.

– Le corps de la petite Donati. C'est l'un de nos informateurs qui nous a dit où le trouver ?

– Qu'est-ce que tu crois ?

– Ben, on n'avait pas la queue d'une piste.

– Ouais. Pas de quoi se féliciter.

– Si on savait qui fait quoi dans ce service, peut-être pourrait-on mieux coordonner nos actions.

– Tu veux ma place, capitaine ?

Oui. Je veux bien ta place, espèce de tas de merde. Dans un monde plus juste, tu serais comique troupier. Châtreur de dindons. Ramasseur de bouses de vache.

– Et pour les roses ? Les fleurs autour du corps ?

– Quoi, les fleurs ?
– C'est le même type, non ?
Mais Mattotti était déjà revenu à ses papiers. Il n'acquiesça ni ne démentit, et Jacopo finit par s'en aller.

La journée fut longue. La routine. Nino revint le voir plusieurs fois avec des théories farfelues. Jacopo finit par fermer sa porte à clé, balaya d'un revers de la main tous les dossiers accumulés sur son bureau, les ramassa un par un – et les jeta à la poubelle. Pour les en ressortir et les ranger. À la fin de la journée, tout était ordonné autour de lui, pas un objet qui ne fût à sa place. *On dirait que je vais déménager*, pensa-t-il. *Ou mourir.*

Le soir, avant de se coucher, glissant la main dans la poche de son peignoir, il retrouva la lettre du matin. La sortit, la relut, faisant l'impasse sur les mots qu'il ne connaissait pas :

Open your veins, let the blood flow. Don't stop it, go on to the end, die.
Die. Is your courage failing short ? I shall stick the knife into your neck, where the artery beats. Die.
Die. Because my eyes shed salty tears, now, die.
Die. Neither for me to be still alive nor to be in love again, but for your sake, as you don't know how to live nor to love, please, die.
Die, because I shall look for death to come without crying, so, die.

Ouvre-toi les veines, laisse couler ton sang. Va jusqu'au bout, meurs. Le courage te manque ? Je plongerai le couteau où cette veine bat. Meurs. Parce que dans mes yeux les larmes sont sel, maintenant, meurs. Non pour que je continue de vivre ni pour que je puisse aimer, mais parce que tu ne sais faire ni l'un ni l'autre, alors, meurs. Et parce qu'après toi je regarderai la mort arriver sans pleurer, s'il te plaît, meurs.

Il froissa la feuille en une boulette, chercha des yeux un endroit où la jeter, se ravisa. *Qu'est-ce que c'est que ces conneries ?* Il la lissa, la relut une fois de plus. *J'ai que ça comme merdes à résoudre, tiens !* Il la remit finalement dans sa poche, et l'oublia de nouveau.

Miles

Couvent de Tosina. *Il y a un mot que j'aime par-dessus tout en italien : c'est* « tempestato ». *On dit* « un cielo tempestato di stelle » *: un ciel frappé, décoré, pilonné d'étoiles. La* tempesta, *c'est la tempête, l'ouragan. Un ciel où les étoiles sont un ouragan. Au-dessus de ma tête, la voûte noire est trouée d'un ouragan d'étoiles.* Cinq heures. Une bonne heure pour être debout s'il avait dormi. Sinon, ce n'était de toute façon plus celle de rester au lit. Douche. Café. Le châle d'Indiana sur les épaules, Miles ferma le fichier Word sur lequel il travaillait et ouvrit le *Corriere Fiorentino* sur Internet. À la une, le crime qui avait eu lieu à quelques kilomètres de chez lui. Le garçon tué immédiatement. La fille retrouvée morte quarante-huit heures plus tard. Violée. Torturée. Miles leva les yeux du journal. Le père avait signalé la disparition de sa fille la nuit même. Benedetta Donati avait un an de plus qu'Indiana.

Le soleil se répandait dans la cuisine. C'est là qu'il aimait travailler. Le bureau, même le chien ne s'y rendait pas volontiers. Ça sentait l'antique fumée d'un poêle condamné. Le papier peint humide. Le cartable en cuir bouilli. Les livres aux pages défaites. Fantômes d'autres vies. *Mes spectres me suffisent. Les murmures. La nuit. Les murmures. Toutes les nuits.*

Furia attendait près de sa gamelle. Dès que le professeur bougeait, il le suivait. Jusqu'à la chambre d'Indiana, où Miles monta pour contempler, par la porte entrouverte, sa fille qui dormait. Son café à la main, il demeura immobile à l'écouter. *J'ai envie d'entrer, d'enlever les oreillers qu'elle a sur la tête et de caresser son visage. De lui dire que j'ai confiance en elle.* Le soir précédent ils s'étaient encore querellés, « Dix-sept ans, papa. Pas dix, pas sept. Si tes horaires n'étaient pas aussi aberrants, je les respecterais. Mais là, c'est juste pas possible. Je peux pas quitter mes potes au moment où ça devient sympa. » *Sympa ?*

Miles redescendit, Furia sur les talons. Sur l'ordinateur resté ouvert, une photo trônait en première page du *Corriere*. Dans une boîte parmi des coquelicots, posée sur la terre nue, le corps de Claudio Meli, le jeune interne assassiné. Incongruité de la mort sous les oliviers. Le journaliste avait relevé que son nom, Meli, était à une voyelle près identique à celui de l'homme emprisonné en 1968 pour le meurtre de sa femme et de son amant, Mele.

Suivait le résumé de la série d'homicides commis par le Monstre. De quoi parlait-on ? Quel Monstre ? Pourquoi ne l'avait-on jamais attrapé ? Il devait être vieux maintenant si ses derniers crimes remontaient aux années 1980. Qui avait envie de se replonger dans un dossier si ancien ? Le professeur ferma les pages Internet, rouvrit son fichier Word. *Respirer.* Les cigales entamaient leur journée, certaines à contretemps. Chants de coqs et travaux dans les vignes. Passer à autre chose. *Respirer.*

Pour la vingtième fois depuis qu'il enseignait, il allait tenir son cours sur Raymond Carver. Du *storytelling* minimaliste à haut rendement. En fait, c'était à son sinistre éditeur Gordon Lish que revenait la responsabilité de ce minimalisme : Carver se voyait en auteur doué de faconde sinon généreux, Lish avait été le bistouri qui l'avait transformé en zombie décharné. C'est ainsi que Carver était devenu une créature mythifiée à l'usage des lecteurs branchés. « L'efficacité est une révolution dirigée par les conservateurs », disait Roger Nimier.

Elle sent le dentifrice et les draps séchés en plein air. Habillée de son éternel jean slim et d'un T-shirt « *Run to Ohio* » bleu passé qu'elle a volé à son père puis découpé aux épaules et au-dessus du nombril. *Zoom avant. Mise au point. Même avec son soutien-gorge de sport, ses seins pointent sous le tissu. Clic.* Elle a noué une veste militaire sur ses hanches, aux pieds elle a des claquettes à talons, des bracelets colorés aux poignets. *Zoom. Bas du dos doré. Clic.* La fille de Miles est presque aussi grande que son père, mince – trop, selon lui : « Invitons mes potes un soir, papa. Tu serais content, ils mangent comme des chacaux. » *Des chacaux ?*

Ça ne s'était jamais fait. Miles ignore tout des amis d'Indiana. À part quelques mentions sporadiques, elle ne lui en parle jamais.

Ce matin il faut qu'elle se dépêche. Le carburateur de la Vespa a un problème. Encrassé, ou va savoir quoi. Miles lui offre de s'en occuper. Non. Rendez-vous est pris chez le garagiste après le lycée, de toute façon il faut réviser le moteur. Miles lui demande s'ils ont fait la paix. Elle secoue la tête. Les cheveux lui tombent sur les yeux. Elle rit. *Zoom avant. Incisives blanches entre les lèvres longues et charnues. Clic. Du grain. Sujet trop loin.* Son portable sonne. Elle le coince sous le menton. Des monosyllabes. Elle raccroche, tape un SMS rapide. Fait défiler l'écran. Lève la tête, distraite. *Zoom. Prunelles tournées vers le haut, danseuse balinaise. Pommettes ciselées. Clic.*

— Hé, mais tu sais quoi, papa ? On dirait un chef sioux là, avec mon châle sur les épaules. Tu devrais donner tes cours habillé comme ça. Tu aurais un succès monstre.

I would prefer not to, chérie.

Une tartine avalée en vitesse, son énorme sac sur l'épaule, Indiana sortit de la maison en courant, s'élança en roue libre sur le chemin en pente. Son père la suivit des yeux jusqu'au virage, resta un moment debout sur le seuil, sans bouger. Le cœur tapant dans sa poitrine. Le cœur tapant fort et la peur battant dans ses poignets.

Un cielo tempestato di stelle. Respirer.

Jacopo

La journée débuta au siège du RIS. La pièce dans laquelle la biologiste Bella Ricci travaillait était une salle blanche remplie de machines. Elle reçut le capitaine avec un sourire, sourcils levés. Dévouée à sa tâche, Bella était gentille mais réservée. On ne lui connaissait ni mari ni fiancé. Pas même de petit copain. Jacopo faisait l'objet d'un traitement de faveur. Elle était proche de ses trois filles qui la considéraient comme une tante. Alors qu'en public elle restait distante, la biologiste trouvait toujours du temps à lui consacrer lorsque le capitaine venait la voir dans son antre. Une serre. Des pots d'orchidées envahissant chaque surface plane. Des plantes rares, d'autres plus ordinaires. Toutes avaient en commun d'être en pleine forme. La biologiste avait la main verte.

Aujourd'hui, à un peu plus de trente ans, ses cheveux flous, ses taches de rousseur sur un nez à peine bossu, ses yeux vert d'eau et, sous la longue blouse boutonnée, son corps tout en courbes douces, faisaient de la jeune femme le fantasme sexuel des hommes du service. *Tu le sais. Et tu fais comme si de rien n'était, Bella la belle.* Les sentiments de Jacopo n'étaient pas immaculés. Il lui était déjà arrivé de passer la nuit sur la béquille en pensant à elle.

– C'est la Limace qui te l'a dit ? attaqua-t-elle sans même lui dire bonjour. Je ne pensais pas qu'il t'en parlerait, grand chef. On a toujours l'impression qu'il garde le secret du Saint-Suaire à lui tout seul, celui-là.

Le capitaine sourit, puis se ravisa :

– Tu veux dire, pour Irina Radic ? Explique-moi.

– Radic, oui. On a relevé sept traces d'ADN masculins différents.

– Quel genre ?

– Du sperme, du sang, de la sueur. Sur son corps et sur son visage. Mais pas dans le vagin ni dans l'anus.

Ne frissonne pas. Ne rougis pas. Ce n'est pas la première fois que tu entends ces mots. Le capitaine prit une inspiration. Souffla :

– On sait si... enfin, si elles ont été laissées par ses clients ou si ça s'est passé au moment du meurtre ?

– Tu penses bien qu'il ne nous a pas été possible de le déterminer. Mais il y a autre chose.

– Quoi ?

– Le téléphone que vous avez trouvé l'autre soir.

– Qu'est-ce que je ne sais pas ce coup-ci ?

– Attention, ce n'est pas encore officiel. C'est Michele qui est venu m'en parler.

Ce con de Salvini. Il est donc capable de bosser de temps en temps, celui-là.

– Salvini trouverait n'importe quel prétexte pour te voir. Au besoin, il serait capable d'en inventer. Enfin. Pour une fois qu'il se sort les doigts du...

– Tu es jaloux, mon loulou ?

– Non, je te parle comme si j'étais ton père.

– Alors arrête, papa. Michele était intrigué par le téléphone. Il a fait des recherches. Et tu sais ce qu'il a découvert ?

– Vas-y, Bel. Avant que je t'étrangle.

– Il a découvert... que c'était le même téléphone que celui qu'utilisait Pacciani. Et même...

Bella se retourna, alla vers la fenêtre et brumisa l'une de ses orchidées. Jacopo serra les poings dans ses poches. Elle continua, l'air de rien :

– ... même que c'était le sien.

– Putain, c'est pas vrai !

– Il y avait encore les empreintes digitales de ce vieux porc, Pacciani, dessus. Mais pas d'ADN sur lequel travailler. Les empreintes d'un mort... ça nous avance vachement.

– Merde alors.

– Comme tu dis.

– Mais pourquoi... et qui... ?

– N'importe qui. Avec la réduction des effectifs, il n'y a plus vraiment de contrôles. C'est super facile maintenant d'accéder au local où sont stockées les preuves matérielles. Je ne t'apprends rien. Quelqu'un l'aura volé.

– Il faut signer un formulaire pourtant.

– Essaie, tu verras. On y entre comme dans un moulin.

– C'est sûrement une personne qui, à un moment ou à un autre, a travaillé sur l'enquête. Va savoir depuis combien de temps ce téléphone avait disparu. Pourquoi ne l'a-t-on jamais rendu à Pacciani, d'après toi ?

– Aucune idée. Je suis biologiste, pas enquêtrice, grand chef. Et puis je n'étais pas née. Ou à peine. Alors les détails de cette histoire…

– L'engin n'était pas de la première jeunesse, un Motorola deuxième génération à vue de nez. 1993, par là. Et Pacciani, le vieux porc comme tu dis, est mort en 1998.

Bella le fixa sans parler. Elle aurait donné n'importe quoi pour une cigarette. Elle allait ouvrir la bouche quand Jacopo reprit :

– Tu viens dîner, ce soir ? Les filles t'invitent.

– Si je termine assez tôt. On est sur les dents.

– Çà ! Les parents des fugueuses tournent mabouls… et on n'a pas assez de personnel pour enquêter sérieusement sur toutes les disparitions.

– Combien ? Combien de personnes disparues ces jours-ci ?

– Cinquante-cinq.
– Ici, à Florence ?
– Quand même pas. Dans la région.
– C'est quoi la moyenne, d'habitude ?
– En Italie ? Vingt-huit par jour. Sachant que la moitié sont des mineurs.
– Et combien restent… disparus ?
– Tu parles des chiffres officiels ? Depuis 1974, plus de vingt-cinq mille personnes n'ont pas été retrouvées.

Bella posa sur lui des yeux étonnés, mais Jacopo la connaissait. Bella était un appeau : une mécanique intellectuelle implacable avec des airs de première de la classe. Pendant qu'elle parlait, l'un des boutons de sa blouse avait sauté. Le regard du capitaine s'y attarda une fraction de seconde de trop. Elle s'en aperçut et se détourna, raide :
– Dis aux filles que je viendrai tout à l'heure. File maintenant. J'ai du boulot.

Jacopo sortit à reculons. Pensant, *Quel con, mais quel con*. Pensant, *Espèce de stupide rustaud. Si j'étais une femme et toi, le dernier mec sur terre, je me ferais nonne plutôt que me laisser tripoter par toi.* Pensant, *C'est ça, casse-toi, mort de faim. Pauvre type, va.*

Dans l'après-midi il rejoignit Francesco à Novoli, dans les faubourgs de Florence. C'était le carabinier chauve et tatoué qui avait fini par localiser l'enfant d'Irina. Ses hommes avaient interrogé quelques filles pendant deux jours avant de tomber sur Ida, tenancière du Dalaï-Lama Café, un bar fréquenté par celles qui battaient la semelle dans le coin. Ida, Florentine pur sang, avait exercé le métier de prostituée toute sa vie. Sa retraite se déroulait paisiblement dans ce vieux café malfamé et chaleureux acheté avec ses économies, havre pour les créatures perdues qui s'y réchauffaient l'hiver et venaient s'y mettre à l'abri de la canicule l'été. Ida gardait la fillette d'Irina lorsque celle-ci travaillait – un travail régulier de femme de ménage dans une école, dont elle arrondissait les fins de mois par quelques passes. « Irina n'était pas une pute, ça non, monsieur. Je connais mes poulettes. Je connais leur cœur, leurs mensonges. Leur naïveté et leur dureté. Elle n'était pas comme ça, Irina », avait répété la vieille prostituée au capitaine. Le père de la gamine, un routard roumain, les avait emmenées à Florence puis abandonnées, et Irina était restée en Italie, pays dont elle ne connaissait même pas la langue. Une banale histoire de misère. Jacopo en avait entendu beaucoup, et de bien pires. La petite allait atterrir dans un orphelinat, car seule la grand-mère d'Irina était encore vivante, vieille femme misérable dans une maison de retraite misérable de Bucarest. *Répétition. Pléonasme. La misère appelle la misère.* La grand-mère avait pleuré à l'annonce de la mort de sa fille. Depuis, elle refusait de s'alimenter, de boire, de parler. De toute façon, elle aurait été trop âgée pour s'occuper d'une fillette en bas âge. *Voilà comment le malheur envahit le monde*, se dit Jacopo. *D'une manière ou d'une autre, ce sont toujours les femmes qui trinquent à cause de la lâcheté et de l'inconséquence des hommes. Partout où il y a un pauvre hère, il y a dans son sillage quelqu'un qui a encore moins de droits : sa femme, sa fille.*

Indiana

Bar Zoe, quartier San Niccolò, Florence. Ce soir-là Indiana, accompagnée de Nathan, alla boire un verre dans ce bar que les jeunes fréquentaient pour l'*happy hour.* Ils prirent deux spritz, puis deux autres. Indiana riait, un peu ivre, plus tendre que d'habitude. Pendant qu'elle posait le front sur l'épaule de son amoureux, il lui prit la main et enfila la grosse bague en argent massif à son annulaire. Il l'avait achetée pour elle dans la boutique hipster Pesci Volanti du borgo Pinti. Elle releva les yeux, resta un instant à la regarder, et rit de plus belle. Heureuse. Nathan l'embrassa, bouche ouverte comme elle aimait. Lui léchant le menton et le nez, la faisant rire encore plus. Il n'avait qu'une envie, la charger sur son épaule et l'enlever. L'étendre sur la banquette arrière de la Land Rover et l'attraper là où il l'avait laissée quelques soirs auparavant. Il en avait tellement rêvé, pris entre l'exaspération et le désir. Entre l'envie de laisser tomber et celle d'aller plus loin. Il lui demanda si elle voulait faire un tour, vers le piazzale Michelangiolo, ou vers Fiesole. Oui. Oui, elle n'avait pensé qu'à ça, elle aussi.

Est-ce qu'elle avait parlé de lui à son père ?

Le rire d'Indiana mourut sur ses lèvres. Elle mit un doigt dans sa bouche, se rongea un ongle. Puis elle ôta la bague, la posa sur le zinc et descendit du tabouret, longues jambes gainées dans le jean, bottines et gilet en daim, une envolée de cheveux, une flamme noire. Colère. Chagrin. Elle s'arrêta sur le seuil et se retourna, fixant le garçon, *Bouge, va la chercher, espèce d'idiot, prends-la dans tes bras et dis-lui que ce n'est pas grave, que tu attendras*, puis elle poussa la porte du Zoe et disparut dans la nuit.

Miles

Couvent de Tosina. Soir. Miles avait préparé une estouffade, la recette préférée d'Indiana, pour le dîner. Avec des écrevisses de la même espèce que celles de Louisiane: à cause d'un lâcher inopportun, elles avaient envahi les cours d'eau toscans et fini par exterminer la race autochtone. Les écolos en étaient malades, mais son plat ressemblait en tout point à celui de sa mère autrefois. Le prof n'en demandait pas plus. Ce serait prêt à 20 heures, juste comme l'aimait sa fille, dégoulinant de roux, avec des poivrons grillés fondus et des oignons verts coupés en fines rondelles dessus. Depuis qu'ils vivaient sans Nonnie, Miles avait appris à faire la cuisine. Il appréciait les gestes qui s'enchaînent, les odeurs qui se précisent, la patience. Et le temps de cuisson, les températures à ajuster. Ça lui remettait les idées en place, ça le calmait. La Toscane lui avait enseigné le goût de la simplicité: le gros pain insipide que l'on mange avec le jambon salé, les soupes de légumes *ribollite*, les *crostini* aux foies de lapin et au vin de messe. Les vins rouges avec du corps et de la terre. L'huile d'olive comme un saint sacrement, ce filet vert qui donne une saveur particulière aux plats les plus modestes. La *cucina povera* à la mode dans les grandes villes était ici une tradition.

Il y avait des moments où il se découvrait sinon heureux, du moins serein. Où il se disait que tout finirait par s'arranger, qu'il allait recommencer à dormir, que les cauchemars allaient s'arrêter et sa culpabilité s'estomper. Où il se disait que le prix du mal avait été payé.

Il était assez rare que cette humeur perdure, alors il en rajoutait, comme si quelqu'un était en train de le regarder en cachette et qu'il se sentait obligé d'en faire des tonnes. Il se répétait que sa fille n'était pas malheureuse. Que le quotidien s'apaisait tout doucement. La vie lui offrait une seconde chance, il fallait qu'il la saisisse. Il lui faudrait refaire confiance. Tout allait bien se passer. C'était une prière. Il la disait comme un mantra. Il voulait y croire. Il y croyait.

Vingt heures trente, puis vingt et une heures sonnèrent au clocher. Il s'installa dans un fauteuil près de la fenêtre d'où il verrait Indiana arriver. Avec un livre ouvert sur les genoux. Mais il ne lisait pas.

Craquements du bois dans la maison. Grillons dans les champs. Grenouilles dans les fossés. Un chien hurla. Furia leva la tête pour l'écouter, la reposa entre ses pattes en fixant son maître. Un oiseau nocturne, chouette ou hibou, hulula dans les bois. Miles sortit son téléphone de sa poche, appela Indiana cinq, huit, dix fois. Tombant chaque fois sur sa messagerie.

Il pensa à l'attente d'une autre nuit. À l'angoisse des minutes qui s'enchaînaient. À l'absence comme une tache d'ombre dans laquelle on se noie. Au sang dont on perçoit la course dans les veines.

Il repensa à sa fureur. À son impuissance. Puis à toutes ces heures passées à faire des pompes dans une cellule de quatre mètres sur trois. À taper dans un sac, les jointures en feu. À ces questions auxquelles il n'avait pas de réponses. Aux hommes qui le sortaient du cachot, avec toujours les mêmes interrogations, inutiles devant le sourd-muet qu'il était devenu.

Il appela la police vers minuit. On lui conseilla de se rendre au commissariat le lendemain matin. De ne pas s'en faire en attendant, cela arrivait un jour ou l'autre à tous les parents. Il s'assoupit dans le fauteuil, demi-sommeil peuplé de mauvais songes, défilé de larves en guenilles.

À 7 heures il descendit en ville et signala la disparition d'Indiana. Un môme en uniforme bien repassé tapa à toute vitesse sa déposition sur un ordinateur flambant neuf. Le professeur demanda à voir son supérieur. Un type d'une cinquantaine d'années, affable et distrait, entra alors dans le bureau et tenta de le rassurer.

– Un petit copain, une fugue. Attendez, c'est trop tôt pour vous inquiéter.

Miles ne répliqua pas. Il se leva et partit.

Il avait cours, mais il appela l'université pour dire qu'il serait absent. Sur le canapé, engourdi, il sombra dans une stupeur blanche, une douleur crue, souffrance de cristal avant que sourde le sang. Il ne dormit pas, ne mangea pas. Les heures s'écoulèrent, vides et blêmes.

Face à l'abîme, l'air sort des poumons comme un cerf-volant en torpille. Au petit matin, il commença à muer. Ou peut-être redevint-il celui qu'il avait été.

Jacopo

Florence. Villa Selvaggia, Pian dei Giullari. Samedi matin. *Le téléphone sonne dans la maison. Encore. Et encore. Personne ne répond. Dans la cuisine silencieuse le soleil entre à flots. Un homme et trois jeunes filles en pyjama gisent dans une mare de sang devant leur petit-déjeuner renversé.* La porte claqua et Jacopo se redressa brusquement dans le lit. Anna, l'aînée, entra dans la chambre de son père avec un café sur un plateau en étain, refermant derrière elle de son pied nu, cérémonie enracinée depuis l'enfance lorsque le capitaine ne travaillait pas.

– Ça ne va pas, papa ?

La prendre contre lui. La serrer. Fourrer son nez dans ses cheveux de Chinoise doux comme de la fourrure. Ne plus jamais la laisser s'en aller. Attraper dans la foulée ses deux sœurs et partir en Sibérie. Vivre dans une cabane en rondins. Veiller sur elles jusqu'à son dernier soupir.

– Hé, papa ! Qu'est-ce qu'il y a ?
– Viens là, ma caille.
– Tu piiiqueees…
– Tu sais que je t'aime ?
– Houlà !
– Allez, sors maintenant. Ton vieux papa va se lever. Et il n'a pas de pyjama.

Putains de rêves.

Lorsque après la douche Jacopo sortit de la salle de bains, la maison était vide. *Ras le bol des rêves.* Il alla dans le garage, prépara ses deux cannes à pêche, ses plombs et ses hameçons, puis se mit en route vers Ansedonia. *Ras le bol des rêves.* Il connaissait une crique là-bas où les poissons vous sautaient dans les bras. Il comptait y arriver en début d'après-midi, acheter quelques bières et y passer la nuit. Dans son havresac, une lampe frontale, une serviette et un maillot de bain, de l'eau et des sandwichs, son Beretta d'ordonnance, une veste chaude à capuche et un cigare, l'un des ceux que les filles lui avaient offerts. L'un de ceux qu'il ne fumait plus. Il en avait perdu l'habitude à la mort de Colomba, qui aimait crapoter avec lui, mais les filles continuaient de lui en faire cadeau à Noël. Il appréciait le geste. Et il oubliait, ou faisait semblant. *Ras le bol des rêves. Et des souvenirs.*

On avançait par saccades sur l'autoroute. Un ruban de voitures, ininterrompu. La météo annonçait un week-end calme et chaud. Parfait pour la pêche. Le meilleur moment, c'est lorsque la houle est régulière, avec huit à douze vagues par minute. Le poisson paît dans le dépôt organique des creux, une ligne d'eau sombre. Ferait-il clair de lune ? Ce serait en tout cas l'une des nuits les plus courtes de l'année.

Il se gara sous un caroubier, chargea son matériel sur l'épaule et attaqua la descente. La crique était déserte et silencieuse lorsqu'il déchargea son barda. Il se débarrassa sans hâte de ses vêtements trempés de sueur, n'enfila même pas son caleçon de bain – *Si c'est pour ménager les poissons* – et entra dans l'eau. Sa fraîcheur lui coupa le souffle. Les vaguelettes lui léchaient le ventre, il hésitait à plonger. Il était seul. Une proie idéale pour le premier barjot venu. Au cours de ses années de service il s'était fait des ennemis. Des camés, des braqueurs, des petits branleurs qui semaient la pagaille. Pas des grands malfrats ni des mafieux en col blanc, juste des raclures de bidet. Plus que tout, Jacopo avait horreur des tocards qui maltraitent les femmes parce qu'ils ont des problèmes avec leur queue.

Mais la mer l'accueillit dans un soupir. Au bout de quelques instants, Jacopo se sentit mieux qu'il ne l'avait été depuis longtemps. L'eau le lavait de tout, de la poussière de la ville, des insomnies et des cauchemars, des craintes incessantes pour ses filles et des nuits passées à grincer des dents. Et de ce truc qui venait de lui tomber dessus. *Mais qu'est-ce qui t'a pris, espèce de vieux clébard ?* La veille au soir, il avait rejoint Kadi, l'une des prostituées auprès desquelles il s'était renseigné sur Irina, l'avait invitée à boire un verre et avait terminé la soirée dans sa chambre. Mais la meilleure pipe du monde ne ressemble pas à l'amour, et il était sorti de chez elle avec l'intention de ne pas recommencer et la certitude que pas une semaine ne s'écoulerait avant qu'il ait envie de revoir l'Ivoirienne.

Jacopo nagea jusqu'à épuisement, sortit de l'eau, se sécha, enfila un pantalon de surplus et, torse nu, commença à préparer ses appâts. Il ouvrait une canette de bière quand il entendit un bruit. Il se retourna. Un Noir baraqué en jean, T-shirt et baskets, mains dans les poches, se tenait derrière lui et l'observait.

Miles l'étudiait. Le capitaine ne s'était pas rasé ce matin-là. Sa barbe hérissait son visage fatigué, ses boucles brunes mouillées s'entortillaient sur les tempes et sur la nuque. Malgré l'épaisseur de sa tignasse, ses grandes oreilles restaient à découvert. Il était massif mais pas gros, quatre-vingt-dix kilos pour un mètre quatre-vingt-dix, juste habillé d'un pantalon de treillis. De larges mains, des bras puissants. Un homme bien plus grand que lui mais à moitié nu, sans défense, qui avait la trouille et faisait de son mieux pour ne pas le montrer.

– N'ayez pas peur, capitaine.

– Je n'ai pas peur.

– Si. Mais ce n'est pas la peine.

– Qui êtes-vous ?

– Je m'appelle Lemoine. Miles. Je suis professeur. À la fac de Florence.

– Qu'est-ce que vous voulez ?

– Vous êtes bien le capitaine D'Orto ?

– Oui.

Jacopo restait sur le qui-vive. Il chercha du regard la sacoche où il y conservait son Beretta. Pas à portée de main. Quel con. Oui, il avait la trouille. Même s'il faisait une bonne tête de moins que lui, ce Noir trapu dégageait quelque chose de brutal. Et même s'il était ce qu'il disait, un professeur, ce qui frappait au premier abord était sa physicité pure, celle d'un animal en chasse. Ses cheveux ras semblaient tissés de fil barbelé, ses traits étaient fins, un nez droit et une bouche charnue masquée par une barbe courte bien dessinée. Il gardait les mains dans les poches, sans broncher. La respiration profonde. Il avait un corps dur. Une planche de bois. Et ses yeux brûlaient comme des puits remplis d'huile. Si noirs qu'on n'en distinguait pas l'iris. Si noirs qu'on savait à la seconde même où on plongeait dedans que l'homme était dangereux. Au cours de ces quelques instants, Jacopo et Miles surent à quoi s'attendre. L'un et l'autre eurent le pressentiment de la fin. Et l'un et l'autre le rejetèrent, effrayés par la vision de leur propre âme reflétée. Le capitaine finit par rompre le silence.

– Alors ? Qu'est-ce que vous me voulez ?

Miles ne répondit pas tout de suite. Il se tourna vers la mer :

– Beau coin pour la pêche.

– Vous pêchez ?

– Mon père aimait ça. Moi, je n'ai jamais eu la patience. Qu'est-ce qu'il y a comme poissons par ici ?

– Des dorades royales. Des dorades-moutons. Des loups de mer.

– Vous en attrapez beaucoup ?

– Ça dépend des nuits. De la mer, de la lune. De leur appétit.

– Qu'est-ce que vous mettez comme appât ?

– Des lombrics. Et des *murci*, des mollusques durs.

– C'est quoi comme hameçons ?

– Des doubles-bleus. Des aquazooms avec grappins amovibles. Des beach bombs aussi.

– Vous n'avez pas l'équivalent de tous ces mots en italien ?

– Pas que je sache. D'ailleurs ce type de pêche s'appelle « *surf-casting* ».

– Décidément.

Jacopo ne répondit rien. Le Black ne l'avait pas suivi jusque-là pour l'entretenir de pêche. Il dut tendre l'oreille pour comprendre ce que l'autre lui disait :

– Vous tremblez.

– Je vais passer un chandail.

– Vous avez quelque chose à boire ?

– De la bière. Dans la glacière là-bas.

– Je vous en prends une ?

– J'ai pas encore terminé celle-ci.

– Vous vous demandez pourquoi je suis là.

– Oui.

– Ma fille a disparu.

– Ce n'est pas de mon ressort. Signalez sa disparition au commissariat.

Miles revenait avec deux bières. Il se donna le temps d'ouvrir la sienne et d'en boire une gorgée. Puis tendit l'autre au capitaine, qui lui fit signe de la poser par terre. Soupira :

– Combien de femmes ont disparu ces jours-ci ?

Un renvoi acide envahit la gorge de Jacopo. Il avala d'un trait la moitié de sa bière puis rota discrètement. La même question que Bella. Que voulait-il, ce type ? Il avait pris son temps. Il l'avait suivi et épié pendant qu'il nageait. Le capitaine entreprit d'appâter sans répondre. Miles s'accroupit à ses côtés.

– C'est quoi comme engin ?

– Une canne à répartition. Avec moulinet à frein et bobine rotative.

– Alors ? Combien de femmes disparues ?

– On nous en a signalé cinquante-cinq. Mais trente-quatre sont déjà rentrées chez elles.

– Et les autres ?

– Sept femmes battues par leur mari ou leur compagnon ont cherché refuge ailleurs. Cinq jeunes filles ont raté leur bac et se sont cachées chez des copains.

– Et les autres ?

– Parlez-moi de votre fille.

– Tenez, voici sa photo.

– Elle est très jolie. Quel âge ?

– Dix-sept ans.

– Vous étiez-vous disputés ?

– Ce n'est pas une fugue. Et je ne me dispute jamais avec Indiana.

– C'est une adolescente. On se dispute toujours avec les ados.

– Je tiens à ce qu'elle ait des horaires réguliers.

– Et…

– Et parfois, elle ne regarde pas sa montre.

– Vous êtes quel genre de père ? Permissif, ou…

– Elle n'a pas de petit ami.

– Elle en a peut-être un. Et pas forcément envie que vous le sachiez.

– Je le saurais.

Jacopo avait terminé d'appâter. Il demanda à Miles de s'écarter, se mit debout, transféra son poids de la jambe droite sur la gauche et jeta sa ligne.

– Vous lancez à combien de mètres ?

– Soixante-dix environ. Dans cette zone sombre, là-bas.

– À quelle vitesse ça va ?

– Trois cents kilomètres-heure.

Miles siffla entre ses dents. Il s'avança près du socle où Jacopo avait enfoncé la canne pendant que le capitaine lançait un deuxième hameçon. Ses yeux restaient accrochés à l'endroit où les plombs avaient sombré dans l'eau, mais il les tourna vers Jacopo lorsque celui-ci dit :

– J'ai trois filles, dont l'une qui a l'âge de la vôtre. Une fois mon aînée m'a laissé trois jours sans nouvelles. Quand elle est rentrée, j'ai allumé un cierge gros comme mon bras devant la Vierge miraculeuse. Et vous savez quoi ?

– Quoi ?

– C'était ma faute. Je n'avais rien voulu savoir. Elle sortait depuis six mois avec un garçon que je lui avais interdit de fréquenter. Elle m'a mis devant le fait accompli.

– Ils sont toujours ensemble ? Ils se sont mariés ou… quelque chose dans le genre ?

– C'est marrant que vous me demandiez ça. Elle l'a quitté après sa fugue. Alors je vous pose la question : votre fille avait-elle changé ? Était-elle irritable, ou triste, ou hilare sans raison ? Rentrait-elle en retard ?

– Oui. Elle est souvent en retard ces temps-ci. Mais pour le reste, je ne vois pas. Elle me le dirait, j'en suis sûr. Nous ne nous cachons rien, ma fille et moi.

– On est toujours les derniers à savoir. On mourra sans comprendre ce qu'être père signifie. On aura juste essayé. Fait de notre mieux. Je vais vous dire...

– Vous avez une canne qui ploie.

– C'est le courant.

– Alors ?

– On a peur d'elles. Et on est fascinés. Ce sont des femmes. Des mystères ambulants. Sauf que... ce sont nos filles, on les a vues naître. On a changé leurs couches. Je ne sais pas si vous avez torché les fesses de la vôtre...

– Plus souvent qu'à mon tour.

– Donc vous me comprenez. Et puis, elles grandissent. Elles ne vous regardent plus comme avant. Vous vous sentez coupable, mais vous ne savez pas de quoi. D'être un père ? D'être un homme ? Mon aînée, Anna, est restée un mois sans me parler parce que j'avais tiré sur son maillot de bain pour jouer. Elle avait sept ans. Ça m'a servi de leçon.

– Et aujourd'hui ?

– Ma femme est morte quand elles étaient gamines. Je me suis débrouillé comme j'ai pu avec les premiers baisers, les chagrins, les crises de nerfs, les jalousies et les fringues qu'elles se volent tout le temps. Je ne sais jamais en rentrant si je vais avoir droit à des caresses ou à des coups de griffe. Des filles, quoi.

– Vous en parlez bien.

– Je comprends qu'il y ait des hommes qui préfèrent partir à la guerre que rester à la maison.

– Qu'est-ce que vous pouvez me dire sur les victimes ? Il y a des similitudes entre les deux cas ?

– La première travaillait comme femme de ménage, mais l'argent gagné ne suffisait pas à les faire vivre, elle et sa gosse. Alors… elle faisait des extras du côté de Novoli. Rien à voir avec la seconde : une étudiante qui venait de passer son bac. Elles ont toutes les deux subi des violences sexuelles qui peuvent faire penser à un tueur commun. Mais ni le rituel ni le *modus operandi* ne sont les mêmes. La seule chose qui les relie au fond, c'est…

– Quoi ?

– Ça ne vous regarde pas.

– Vous pensez qu'il peut s'agir d'un *lust murder* ?

– Vous dites ?

– Un assassin qui jouit lorsqu'il tue.

– Ça ressemble à ça, oui.

– Le Monstre… ce vieux tueur en série que la presse a déterré… il ne procédait pas comme ça, n'est-ce pas ?

– Ne croyez pas tout ce que disent les journaux là-dessus.

– Je voudrais pourtant que vous m'en parliez… Hé, là, je crois que vous tenez quelque chose cette fois. Je vous aide ?

– Surtout ne bougez pas.

Jacopo lutta quelques minutes, puis, canne baissée, il remonta sa prise sur une vague mourante.

Les deux hommes se penchèrent sur le loup, un spécimen d'au moins un kilo. Ses branchies pulsaient. Ses yeux s'ouvraient et se fermaient. Panique. Suffocation. La mort.

Jacopo ôta l'hameçon avec maestria.

Puis remit le poisson à l'eau.

Miles

Novoli, faubourgs de Florence. Beaucoup de filles de l'Est, quelques Blacks, pas mal de Chinoises. Seize à trente ans maxi. Roumains et Albanais aux manettes, Ukrainiens en guise de main-d'œuvre. Mixité des hommes en chasse. Miles, un Noir parmi d'autres.

Une fille s'approcha, minijupe en skaï rouge pétard, cuissardes à talons hauts, prunelles larges comme des puits où se reflétait toute la misère du monde.

– Viens chéri. Je vais te faire monter les larmes aux yeux.

Pas besoin de vous pour ça, madame. J'ai déjà tout ce qu'il me faut, question larmes aux yeux.

Il la prit par le bras, lui souffla quelques mots à l'oreille. La fille essaya de s'échapper, mais il la tenait.

– Le mac du coin, c'est qui ?

Elle indiqua du menton un type noué de muscles, nids de serpents roulés dans un T-shirt aux manches arrachées. Dents manquantes, tatouages à l'encre baveuse sur les doigts. Vraisemblablement un ancien taulard. Miteux. Le professeur arriva sur lui sans qu'il s'en aperçoive et le repoussa au fond de la ruelle où il venait de pisser. Le mac se rebiffa.

– Ton claquer de couilles était pas bon, connard ? Tu veux que je te rembourse ?

– File-moi ton couteau.

– *Ma vaffanculo negro di merda.*

Pas la bonne réponse, mec. Aller-retour plexus-estomac. Le mac cracha, l'envoya chier. Et enfonça la main dans sa poche droite. Tellement prévisible. Coup de genou au niveau de l'entrejambe. Plié en deux. Miles s'empara du couteau, le jeta au loin. Hors d'atteinte pour tous les deux. Se méfiant plus encore de lui-même que de cette vermine. Il s'était renseigné. Les filles ici étaient vendues dès douze ans. Huit cents euros pièce. Bossaient jusqu'au septième mois de grossesse si elles tombaient enceintes. Valait mieux pas qu'il s'en souvienne, là, tout de suite. *Respire. Respire.* Le mec se redressait. *Respire.*

– Où tu vas, mon gars ? J'ai pas fini.

Un crochet en pleine bouche, avec le poids de l'épaule. Nez explosé aplati contre le mur, lèvre supérieure éclatée sur les dents, le mac s'affala de nouveau. *Respire.* Chaussure sur la poitrine, crâne coincé contre le trottoir, nuque sur le rebord, bulles éclatant dans les narines, morve et sangs mêlés, la tête de nœud pleurait. L'autre chaussure planait au-dessus de sa figure. *Respire.* Tout revenait, comme s'il n'avait jamais arrêté. L'excitation. L'adrénaline. Les faisceaux de muscles brûlants comme un fer à repasser. Comme si son corps, agent dormant, se réveillait d'un long sommeil. Le pire, ce fut quand la grande gueule, à terre, se mit à supplier. Miles s'en souvenait. Dans ses bagarres avec les plus cons du contingent – les plus féroces, les plus costauds, les plus lâches en fin de compte –, ça finissait toujours par arriver.

Le naze pleurnicha de plus belle, le ramenant à l'instant présent :

– T'es qui, putain ? Qu'est-ce que je t'ai fait ?

Miles murmura :

– Irina.

– Va te faire foutre, négro de merde.

Lassant. Répétitif. Aucune imagination. Miles sortit un stylo de sa poche et en approcha la pointe de l'œil droit du mec. Plus près. À l'extrémité de la paupière. *Respire.* Le mac souffla le nom d'un bar.

– Dalaï-Lama Café.

Miles lui botta le cul jusqu'à ce qu'il se lève et parte en courant. Jurant qu'il allait le retrouver, cet « enculé de négro ».

Cause toujours, mon garçon. T'as de la chance que je ne te les enfonce pas dans la gorge.

Pour courir, il courait vite, ce merdeux.

Respire, Miles. Respire. Souffle court, cœur dans une forge. *T'es plus tout jeune, mon pote. T'as encore des trucs à faire, tu ne vas pas claquer comme ça.*

Dalaï-Lama, une demi-heure plus tard.

Dans la salle, cinq ou six femmes encore jeunes et une vieille dame. Une petite fille dort sur une banquette, enveloppée dans une couverture bleue. J'ai demandé un thé, entendu quelqu'un ricaner, mais je ne me suis pas retourné. La vieille dame a fait chauffer de l'eau, l'a versée dans une tasse, a ajouté un sachet de Lipton et l'a poussée vers moi :

– Offert par la maison.

J'ai haussé le menton et secoué la tête, interrogatif.

– Les nouvelles vont vite par ici. Et vous n'êtes pas flic. Que cherchez-vous ?

J'ai répondu :

– Le salaud qui a tué Irina.

Elle m'a indiqué une blonde maigre qui buvait un Coca près de la fillette endormie. Assise à côté d'elle il y avait une créature à la peau sombre et aux cheveux relevés sur le sommet du crâne, les poignets fins tintant de bracelets et les mains aux ongles ras vernis d'un rouge sang. Je me suis approché, mon thé à la main. Elles m'ont invité à m'asseoir à côté d'elles en se serrant. La fatigue m'est tombée dessus d'un coup.

– Salut.
– Salut.
– Moi, c'est Sandra. Elle, c'est Kadi.
La blonde avait pris la parole d'emblée. Je les ai dévisagées, d'abord elle puis son amie. J'ai acquiescé, mais je ne me suis pas présenté.
– Le type qui a embarqué la mère de la petite, là, on n'a aucune idée de qui c'est, a-t-elle continué. Les flics, c'est pas nos copains, mais si on avait su quelque chose, on le leur aurait dit.
J'ai avalé un peu de thé. Bouillant et fade. La Noire se taisait, mais je la sentais aux aguets.
– Vous avez des mecs bizarres parmi vos clients ? Des sadiques, des trous du cul ?
– Des trous du cul, a rigolé Sandra, on voit que ça. Mais vous seriez étonné par le nombre d'hommes qui veulent rien d'autre que des trucs pépères. À croire que leurs bonnes femmes assurent même pas le PPP.
– Pardon ?
– Une Pipe et un Plat de Pâtes.
Elle a de nouveau rigolé en voyant la tête que je faisais :
– Vous pensez bien qu'on en a discuté entre nous, mais que dalle. La clientèle, c'est plutôt des réguliers, comme je vous disais, des pères de famille qui viennent nous voir toutes les semaines.
– Vous connaissiez les clients d'Irina ?
– Non, pas vraiment. Elle ne nous avait parlé de personne en particulier en tout cas. Les pervers,

elle n'y allait pas une deuxième fois. Que du standard, même pas de soixante-neuf. Elle en faisait un minimum, Irina. Ça la dégoûtait.

– C'est quoi, le minimum ?

– La branlette ou la pipe à trente euros. L'amour à cinquante, avec capote. Dans la voiture du type. Chez elle, elle ne pouvait pas. La petite…

– Vous n'avez pas vu passer quelqu'un d'étrange, même sans l'avoir comme client ?

– Il y avait bien un mec qui ne baisait jamais. Fêlé comme une pêche. Il nous demandait s'il pouvait regarder. Mais des clients qui ont envie de se faire mater, il n'y en a pas des masses. Ça fait longtemps qu'il ne vient plus.

– Combien de temps ?

– Depuis l'hiver dernier. Il a dû changer de quartier. Trouver des filles plus open. Des gars aussi, faut croire.

– Et vous ? Vous ne parlez pas ?

La Noire, qui nous écoutait les yeux baissés sur sa tasse de café, a levé le regard. Son visage aux pommettes hautes s'est tourné vers le mien. Les lèvres entrouvertes, elle a soufflé doucement, comme si j'avais une poussière sur la figure. Son haleine sentait le café, et autre chose. La cardamome, le clou de girofle. La paume de sa main est venue soutenir sa joue. Elle a jeté un œil sur la petite qui continuait de dormir, puis m'a fixé de nouveau.

– Vous faites quoi dans la vie ?

Sa voix était profonde, aussi grave que celle d'un homme.

– Je suis professeur.

– Pourquoi vous êtes là ?

– Ma fille a disparu.

– Vous avez peur ?

Depuis combien de temps je n'avais pas pleuré ? J'ai senti le goût des larmes dans ma bouche et mon nez. Elle ne me quittait pas du regard.

– Oui.

– Il y a un type. Jeune. Avec des yeux bleus. Un vrai tordu.

– Une voiture ? Quelle marque ?

– À pied.

– Il… vous…

– Je l'ai eu plusieurs fois comme client. Il ne me fait pas peur.

Elle a baissé son poignet d'un geste rapide. De sa manche est sortie la pointe d'un couteau. Du même geste, elle l'a rentré.

Elle ne me regardait plus. Elle a murmuré :

– J'ai un rendez-vous maintenant. Voici l'adresse de mon appartement. Je vous retrouve là-bas dans deux heures.

Elle a posé l'une de ses belles mains sur l'épaule de son amie. M'a poussé du genou pour sortir. Pendant un moment, j'ai senti ma peau brûler là où elle m'avait touché.

Légion

Radda in Chianti. Ce qui hurle dans la nuit était là, dehors, à les regarder. Ce qui hurle dans la nuit ricanait tandis que la fille blonde posait une bouteille de vin sur la table de la cuisine, que la fille brune ouvrait les draps, calant entre ses bras le boutis pour le ranger dans l'armoire – elle détestait les jetés de lit –, tandis que le garçon érigeait une pyramide de petit bois dans la cheminée de la chambre puis l'allumait.

Ce qui hurle dans la nuit vit le garçon déboucher le vin, le goûter, le verser dans de grands verres ballon à ses amies pendant qu'ils s'asseyaient tous les trois par terre, autour du foyer. Il les regarda trinquer, puis scruta le manège de la brune qui ôtait le papier d'argent emballant trois pilules avec un papillon gravé dessus. Pour qu'il voie tout ceci, il aurait *a priori* fallu qu'il se trouve tout près. Mais il n'en avait pas besoin : des jumelles lui permettaient d'observer les plus infimes détails de la scène. Mieux qu'au théâtre. Tandis que d'une main il tenait les lorgnettes, de l'autre il caressait le manche de son couteau. Un geste machinal et obscène. Une routine tellement enracinée qu'il ne s'en rendait même plus compte. Ce qui hurle dans la nuit était tranquille, sérieux, précis. Serein. Se passant la langue sur les lèvres. Affamé.

– MDMA, murmura la blonde au garçon.

Ce qui hurle dans la nuit baissa les paupières, avala sa salive. Lui aussi en aurait pris volontiers. Ses sensations en auraient été démultipliées. Qu'il aurait été bien, là-bas près du feu, assis aux côtés de ces trois beaux jeunes gens qui buvaient et s'embrassaient. Il reprit son souffle, sa respiration s'apaisa. Lui aussi aurait sa part. Une gorgée de ce vin couleur rubis. Une taffe d'herbe. Et les baisers des filles. Leurs plus chauds baisers. Tout à l'heure. Bientôt.

Jacopo

Florence. *Comando* des carabiniers. Bureau de Jacopo. Où naît le mal ? Quelle est sa source ? Donato Bilancia trucidait ses amantes après avoir couché avec elles. Traumatisé par la petite taille de son pénis, il vivait dans la trouille qu'on le sache. Lorsqu'on l'a pincé, le monde entier a été au courant qu'il avait un zizi de trois centimètres et demi. C'est malin. Quel abruti.

Albert Fish, sur la chaise électrique, a dû subir plusieurs décharges avant de mourir : son corps était tellement truffé d'aiguilles qu'il s'était introduites lui-même sous la peau depuis l'enfance que la machine court-circuitait. Il dormait avec des oranges sur son oreiller pour en absorber la vitamine C, son remède contre la folie.

Richard Chase s'injectait du sang de lapin et buvait celui des oiseaux pour se régénérer, convaincu que les nazis voulaient transformer le sien en cendre.

Gerard Schaefer violait et démembrait ses victimes, qu'il enterrait puis déterrait pour en sodomiser de nouveau les restes.

Est-il vraiment prouvé que les tueurs en série ont un QI élevé ? Pourquoi dans ce cas ont-ils l'air de débiles profonds une fois qu'on les a attrapés ? Ces quelques types ont à leur actif plusieurs centaines de victimes. Les serial killers sont des démons assortis de gros cons.

Comment un être humain en arrive-t-il là ? Pourquoi les tueurs en série sont-ils le plus souvent des hommes blancs ? Hispaniques à la rigueur ? Pourquoi c'est à partir des années Reagan-Thatcher qu'ils prospèrent ? Quasiment cent pour cent d'entre eux sont des consommateurs réguliers de hard, contre un très bas pourcentage pour les tueurs « occasionnels ». Pornographie et consommation.

La vitesse de la lumière est d'environ trois cents millions de mètres par seconde, mais quelle est celle de l'obscurité ? Voyagent-elles ensemble pour l'éternité ?

Marre de cette journée. Tout ce que Jacopo avait réussi à faire, c'était demander une filature pour ce prof qui lui avait pourri sa partie de pêche, l'autre nuit. Et pourquoi s'était-il laissé aller à lui raconter sa vie ? Celle de ses filles ? Des confidences qu'il ne faisait à personne. Ce Black avait quelque chose de pas net. Jacopo n'était pas raciste. Il pensait même être un flic humaniste. *Si tant est que ça existe*, se dit-il en haussant un sourcil. Mais quand même. Il n'allait pas traiter ce type avec des égards réservés aux femmes enceintes juste parce qu'il était noir.

Jacopo avait vérifié ce que Miles lui avait raconté. La semaine précédante, le prof avait effectivement signalé la disparition de sa fille. Il l'avait vue sortir de chez eux à 8 heures du matin et partir sur sa Vespa. Quelques coups de fil avaient appris au capitaine qu'il y avait des zones d'ombre dans le passé de Lemoine. Il avait fait de la prison aux États-Unis à la mort de sa femme. Jacopo en avait profité pour demander son profil complet. On le lui avait promis, « *as soon as possible* ».

Il se souvenait de la photo que le prof lui avait montrée. De sa jolie gosse au sourire étrange. Un sourire de bébé pitbull. Droite dans ses bottes, malgré son jeune âge. La gamine avait fait une fugue, voilà tout. Et ce Black n'était vraiment pas clair. Jacopo sourit de sa propre connerie. Dehors, il faisait beau. Il sortit sans fermer son bureau à clé.

H.S.

tu préfères ce qui est mort à ce qui est vivant. Ta maman est morte. Ta marraine Susan est morte. Les copains de ta mère sont morts. Tous ceux qui étaient près d'elles cette dernière journée. Son ancien amoureux aussi, qui m'écoutait bouger dans son ventre, l'oreille collée à sa peau. Lui, il est mort pour la protéger, dans un sursaut de rage et d'amour. Le con. Au lieu d'alerter quelqu'un, il est resté à ses côtés jusqu'à la fin. Il l'a payé cher.

Je suis un peu jaloux de ce type. Maman l'adorait. Ils avaient eu une histoire, mais heureusement elle avait compris qu'il ne fallait pas qu'elle l'épouse. Alors, ils étaient devenus amis. Maman était libre. Le monde entier pour elle était amour.

Je revois sans cesse ses yeux. À la fois ingénus et sages. Ce sont les yeux des femmes qui nous disent qui elles sont vraiment. Si elles sont vertueuses ou si ce sont des putains. Maman était une madone. Une sainte des temps modernes. À une autre époque, on aurait prié devant son image. Elle avait un corps sensuel, une taille fine, des seins voluptueux. Une femme n'est pas une pute parce que son corps fait rêver les hommes. C'est son cœur qui compte. Mais il est rare que les hommes comprennent ça. Ils ne voient rien. Ils sont éblouis par la beauté, et négligent la vérité.

Mon père commence à se faire vieux. Sa vie n'a pas été facile. Il est marqué. Il s'est courbé. Son regard n'est plus aussi brillant. Il a perdu ses longs cheveux, que toutes les filles voulaient caresser. À cette époque papa était aussi beau que Jésus-Christ. Un Christ sacrifié pour les pauvres pécheurs que nous sommes. Toutes ces années terribles. Toutes ces années où il a été battu, où on lui a craché dessus, où il a été humilié. Son calvaire. Et pourtant, comme il a été aimé ! Encore maintenant, il a tant d'amoureuses à travers le monde, tellement de femmes qui voudraient l'épouser. Ne les épouse pas, papa. Reste fidèle à sa mémoire. Tu ne trouveras jamais de compagne aussi pure qu'elle. Je suis né du Christ et de la Vierge Marie. Marie Madeleine a été ma marraine. Je suis l'enfant de Dieu. Elles donneront leur vie pour moi.

Troisième meurtre

Radda in Chianti, 112. La mort au bout du fil. Bras autour de la tête, coudes repliés, claquant des dents et en état de choc, Carlalberto Davanzati, le jeune homme qui avait alerté les carabiniers, attendait, prostré sur les marches en pierre, dos contre la porte d'entrée. On le menotta après lui avoir enfilé les mains dans des gants en latex, puis on l'emmena aux urgences, gyrophare muet.

Lorsque le capitaine, averti par l'un de ses informateurs au commissariat, arriva à Radda, seul – sa brigade était au repos –, il n'était que 7 heures, mais les souris blanches du RIS œuvraient déjà. En revanche, ni le juge d'instruction ni le substitut du procureur n'étaient sur les lieux. L'enquête préliminaire leur échoyait pourtant, leur présence étant requise en même temps que celle de l'équipe scientifique. Les forces de l'ordre et le procureur sont censés être du même côté au cours d'une instruction, et ce, jusqu'à son dénouement ; il est donc rare, voire unique, que les deux parties se contredisent pendant le procès. Ce n'était pas la première fois que le capitaine était amené à se faire cette réflexion. Ce ne serait pas non plus la dernière, mais ce n'était pas lui qui dictait les règles. Il soupira, s'approcha du flic en faction et demanda à entrer dans l'enceinte délimitée par les rubans rouge et blanc. Il n'avait rien à faire là, cependant personne ne lui posa de questions ni ne protesta contre sa présence. Comme si l'uniforme qu'il portait suffisait à le placer du bon côté.

Les corps étaient toujours à l'intérieur du petit mas en lisière du hameau, un *borgo* que les propriétaires avaient restructuré et mis à la disposition des estivants, pour la plupart des étrangers qui le louaient l'été. Dans le salon, des meubles anciens, une antique table de monastère, des fauteuils en rotin avec des coussins fleuris, une cheminée où étaient empilés des fagots prêts à l'usage et, par terre, le corps nu d'une jeune femme brune dans une flaque de sang. La tête tournée sur le côté, elle semblait attendre quelqu'un malgré ses yeux fermés. Mais l'empiècement rouge et noir à la place du sein gauche, presque totalement détaché de la cage thoracique, contredisait l'attitude détendue, cette sorte de calme qui émanait du corps. Détail macabre, une rose vermeille était posée sur l'entaille.

Le carabinier qui avait laissé entrer le capitaine lui fit signe de la tête, lui indiquant du menton une porte qui donnait sur une autre pièce. Jacopo avait mis des protections sur ses chaussures et s'était couvert la tête d'une charlotte en plastique. Pas de contamination possible ce coup-là. « Les poings dans les poches », comme disait Mattotti. Même une pendule cassée indique l'heure exacte deux fois par jour.

Il pénétra dans une chambre que la matinée radieuse illuminait dans les moindres recoins. L'air était saturé du parfum agréable du bois mêlé de celui, insolite, de pommes pourries. Il mit un moment à se rendre compte que c'était l'odeur, douce et âpre et voluptueuse, de la mort. Des meubles d'époque là encore, une armoire en vieux chêne et deux tables de nuit sur des beaux tapis aux motifs à demi effacés. Dans la cheminée une grosse bûche finissait de se consumer, bientôt réduite à l'état de braises. Parquet lustré à la cire d'abeille, tagué de longues traînées rouges, comme laissées par un pinceau mal essuyé. Sur le lit gisait une autre jeune femme à la longue chevelure blonde qui balayait le sol, étendue sous un drap rougi et collé par endroits aux courbes de ses hanches et de ses seins. Jacopo eut la vision fugitive d'une scène de film où Marilyn Monroe, cuisses écartées, fixait la caméra, nue sous un fin tissu qui en dessinait le ventre et bombait le sexe. De la fille qui gisait sur le lit émanait cette même sensualité effrontée, malgré ses yeux fermés. Sa bouche aux lèvres pulpeuses ébauchait une grimace qui pouvait passer pour un sourire. Ce n'était pas la première fois que Jacopo voyait ça. Comme si les agonisants acceptaient la mort, à la fin. Comme s'ils étaient soulagés d'en avoir terminé avec la souffrance. Puis une autre pensée moins consolatrice prit la place de celle-ci : il se pouvait que le tueur eût attendu qu'elle soit morte pour modeler sur son visage ce rictus d'adieu.

Sur la descente de lit, il découvrit un jean déchiré aux genoux, un chemisier en dentelle, une ceinture ouvragée à boucle d'argent, une petite culotte rose et un soutien-gorge de la même couleur. Des préservatifs par terre. Jacopo en compta dix, et autant d'étuis. De marque Hatu. Il se pencha pour mieux voir. Deux d'entre eux n'avaient pas servi. Comme si on avait eu du mal à les enfiler. Un truc de jeune homme pressé, pensa-t-il. Les autres avaient été utilisés. Jacopo mit un genou à terre pour regarder sous le lit. De sa poche, il sortit un stylo pour ramener à lui ce qu'il venait de trouver : une rose rouge, comme celle posée sur le buste de l'autre fille.

Celle-ci était jeune, vingt ans, ou à peine plus. La brune, dans le salon, avait un visage moins gracieux, mais un corps glorieux. Le visage et le corps de ses propres filles lui traversèrent l'esprit. Faisant naître en lui un sentiment d'embarras. Les grains de beauté qui parsemaient le dos et les épaules de Tosca. Les bobos, les cicatrices d'enfance de Lucia, la plus casse-cou. Les marques des vaccins d'Anna. Ce qu'elles aimaient chez elles, ce qu'elles détestaient. Lui, il adorait tout. Les voir voltiger autour de lui le matin au petit-déjeuner, dans leurs pyjamas courts et leurs combinaisons en dentelle. Des biches. Dans la cécité de la jeunesse. La perfection de la jeunesse. La lumière de leurs années immortelles. Dans leur innocente mortalité.

Il passa dans la cuisine. Il ne connaissait pas l'équipe scientifique en place, ce n'était pas celle de Bel. Il demanda au type qui raclait une tache sur le mur à l'aide d'un cutter si on avait trouvé l'arme du crime. Celui-ci termina son travail sans se laisser décontenancer, faisant tomber des particules dans un sachet, puis de sa main gantée il abaissa son masque et lui demanda qui il était. Jacopo répondit, sans spécifier qu'il n'avait rien à faire là. L'expert lui confia que la recherche du couteau était en cours. Il y avait du sang partout. La salle de bains était un marécage dans lequel on barbotait, il n'avait qu'à aller voir. Mais s'il pouvait s'abstenir d'entrer, c'était mieux. La scène du crime était déjà assez complexe sans qu'on y ajoute ses propres traces.

– Un vrai merdier, ajouta-t-il, puis il rajusta son masque et revint à son boulot.

Jacopo l'entendit encore marmotter derrière le tissu qui lui cachait la bouche et le nez :

– Je ne sais pas quel genre d'animal peut faire un truc pareil, mais il serait temps qu'on rétablisse la peine de mort.

Le capitaine ravala sa réplique et se détourna, pensant, *C'est ça, mon gars.* Pensant, *Ouais, t'as raison. Tuer est vachement dissuasif. Tu devrais aller vivre au Texas. T'en aurais du boulot, là-bas.* Pensant qu'aujourd'hui en Amérique on n'exécutait quand même plus autant qu'autrefois. Parce qu'exécuter un homme coûte dix fois plus cher à la communauté que le garder en vie. Pensant encore une fois, *Quel type d'homme faut-il être pour donner la mort à son semblable ?* Il se souvint de ce bourreau qui avait démissionné en Virginie après une mise à mort foirée – le cerveau du condamné avait littéralement explosé sur la chaise électrique – et qui militait depuis contre la peine capitale. *Quel type d'homme faut-il être pour donner la mort sans devenir fou ? Naissons-nous mauvais ? Ou le devenons-nous ? Par habitude ? Par lassitude ? Est-ce une fatalité ?*

Après un coup d'œil jeté à la salle de bains où deux autres membres de l'équipe scientifique faisaient des prélèvements, Jacopo sentit le besoin de revenir dans la chambre. Il se pencha de nouveau sur la lingerie intime de la morte, où l'on avait placé un carton avec un numéro. La marque était Bacirubati, l'une de celles que ses filles préféraient. Un regard circulaire ne lui révéla rien d'autre. Il s'en allait au moment où le juge d'instruction Montesecco et le substitut Richard faisaient leur entrée. Ils ne le saluèrent pas. Comme s'il représentait si peu de chose qu'ils ne se donnaient même pas la peine de le reconnaître. S'emparant de la scène du crime comme s'ils en étaient les régisseurs. Méthodiques. Jacopo pensant, *Belle gueule, le Montesecco, si on aime ce genre-là. Le genre qui pourrait faire de la pub pour les montres suisses. Les whiskys qui coûtent un bras. Avec des foulards en soie autour du cou et des chevaux en arrière-plan.* Pensant, *Quel connard, tout autant que son compère Richard. Ce phacochère. Ce nabot tordu. C'est quoi ce nom, d'abord ? Paul Richard. Connard.* Pensant, *Tu radotes, capitaine. C'est pas leur faute, c'est la tienne. T'es personne. T'as pas voulu jouer le jeu. Tire-toi de là maintenant.*

Il ouvrit la portière de son Alfa, posa les mains sur le volant. Mais ne tourna pas la clé de contact. Il fixait sans le voir le paysage de carte postale qui s'étalait devant lui. Les collines douces, comme dessinées par une pointe fine. Les chênes verts en nuages épais. Les cyprès en file indienne, bordant en une haie d'honneur les chemins sinueux. Les maisons anciennes et austères sur les hauteurs. Ce ciel d'un bleu pur, profond, cette voûte indifférente et radieuse où ses yeux se perdaient. *Impuissance et colère. Lassitude et frustration. Ma faute. Ma très grande faute. Mon Dieu, je Vous en prie, aidez-moi.*

Jacopo

Il passa le reste de la journée au bureau. Les paperasses rangées, un livre sur l'étude de la BPA – *bloodstain pattern analysis* – ouvert devant lui. Car chaque tache de sang a une biographie. Chaque goutte raconte une histoire, de la blessure d'où elle sourd jusqu'à son point de chute. Projection, jaillissement, écoulement, le sang dit la force de frappe et le point d'impact, la trajectoire, la position de l'agresseur et celle de la victime. Explosion, décapitation, blessure unique ou multiple à l'arme blanche ou à l'arme à feu, faite à l'aide d'un objet contondant ou de coups portés à mains nues, le sang est très bavard.

La BPA de l'agression de la fille Donati avait murmuré un supplice lent, un cérémonial imperturbable sans réticence ni état d'âme. Benedetta avait été arrachée de la voiture après avoir vu exploser la vitre – ce qui l'avait blessée. Elle avait été enlevée à l'issue du meurtre de son amoureux, dont le sang avait éclaboussé sa peau, son corps et ses cheveux. Elle était toujours dans le véhicule pendant qu'on achevait Claudio. Elle l'avait entendu agoniser alors qu'ils venaient tout juste de s'étreindre. Paralysée par le choc, la peur et probablement la honte. À demi nue, elle n'avait pas cherché à s'enfuir. À quoi pensait-elle lorsqu'elle avait été agrippée et entraînée ? Il était très possible qu'elle se fût sentie coupable. Et quoi que son instinct de survie lui dictât, il était très possible aussi qu'elle eût préféré mourir avec son petit ami. Rien n'indiquait qu'elle se fût débattue. L'avait-on ligotée ? Assommée ? L'être humain est un animal curieux. Dans une situation extrême, il passe en mode urgence, échappant à toute logique. Une femme violée, couteau sous la gorge, se jettera sur la bouche de son agresseur, l'embrassant de manière si chaude, si intime et si troublante que cela lui sauvera la vie. Les frères Coen ne sont jamais loin de la vérité dans la mise en scène d'un fait divers, la tragédie se teinte facilement de grotesque. Jacopo s'en voulut de ses digressions. Ainsi qu'il l'aurait fait au volant d'une voiture qui part dans le fossé, il braqua, remettant ses pensées sur le droit chemin. Les indices recueillis sur les autres scènes de crime confluèrent. Il réordonna ce qu'il savait : autour de la vieille Fiat de Claudio Meli il n'y avait aucune trace révélant la présence simultanée de plusieurs personnes. Cela avait tout l'air d'être le crime d'un individu solitaire qui planifiait ses actes. Le téléphone de Pacciani et l'analogie avec les assassinats perpétrés par le Monstre étaient un message. Mais quel message, et pour qui ?

Les analyses effectuées sur les différentes scènes de crime ainsi que sur les victimes désignaient un homme de taille moyenne, autour d'un mètre quatre-vingts, ou à peine moins. On avait retrouvé des cheveux qui pouvaient être les siens. Ou pas. Des fibres qui pouvaient provenir de ses vêtements. Ou pas. Aucune empreinte n'était entière, aucune n'était utilisable. Bien sûr, on avait détecté des ADN masculins. Mais sans cette maudite banque, il était impossible de les matcher. Une loi pour l'acquisition d'une base de données en génomique avait été votée en 2009. Mais elle n'était jamais passée devant le Conseil des ministres, et sa mise en œuvre restait hypothétique pour l'instant. En attendant, les criminels pouvaient continuer de s'en donner à cœur joie.

Depuis son passage à la SAM, la brigade anti-Monstre, Jacopo se passionnait pour la psychologie criminelle. Il avait lu, étudié, réfléchi sur la question. Il savait qu'un tueur délirant et maniaque mais bien organisé laisse une signature sur le lieu de ses méfaits. Il exige d'être le protagoniste principal de l'histoire. Le plus fort, le plus intelligent. Suit un schéma *in progress*. D'abord Irina, une prostituée tuée au cours de ce qui avait tout l'air d'une messe noire. Puis Benedetta, une jeune fille au nom qui sonnait comme un défi ou une provocation, son amoureux, Claudio Meli, n'étant sans doute qu'un dommage collatéral. Ensuite les deux victimes aux mœurs dissolues. Qu'est-ce qui avait déclenché cette fureur ? Pourquoi maintenant ? Qui serait sa prochaine proie ? Jacopo se dit que, contrairement au Monstre, ce tueur n'exécutait pas systématiquement des couples dans leur voiture. On aurait dit que c'était du tout-venant, la logique propre du... comment l'avait appelé le prof déjà ? *Killer lust murder* ?... n'était pas évidente. Dans sa compulsion, et avec un peu de chance, le tueur n'allait pas tarder à se découvrir de lui-même. Un événement imprévu l'avait déséquilibré, un deuil ou la perte d'un travail. Il était ou se sentait en danger, acculé à commettre ces meurtres en succession rapide. Il allait faire une faute. Il faudrait rester en éveil. Concentré.

Avant de sortir Jacopo relut les dépositions des copains d'école d'Indiana Lemoine. Il gardait un œil sur ce dossier, bien qu'il ne sût pas au juste pourquoi. Peut-être parce qu'il éprouvait une forme de curiosité morbide, et une aversion instinctive pour ce prof. Peut-être parce que la disparition de sa fille – qui avait l'âge d'une des siennes – le troublait. Une sorte d'identification mêlée de répulsion, en somme.

Indiana Lemoine avait donc bien un petit ami. Un garçon nommé Nathan Hoarau, vingt et un ans, réunionnais, étudiant en droit. Il l'avait vue pour la dernière fois le soir de sa disparition. Avait fait l'objet d'un interrogatoire, mais son alibi était en béton : il était revenu chez lui après une dispute avec la jeune fille au bar Zoe. Il partageait un appartement avec un joueur de l'équipe de rugby dont il était le capitaine, et ensemble ils avaient étudié le déroulé de leur dernier match. Ensuite ils avaient rejoint des amis au borgo Pinti, où ils avaient fait le tour des cafés ouverts jusqu'à l'aube. Il avait éclusé quelques bières de trop, son pote l'avait ramené chez eux et couché. Il avait au moins une vingtaine de témoins oculaires entre 21 heures et 10 heures du matin, heure à laquelle il s'était « traîné », selon ses dires, à ses cours.

Lorsqu'on l'avait questionné au sujet de la dispute, le garçon avait soupiré, « Toujours le même truc. Elle ne veut pas parler de nous à son père. »

Intéressant. Quoiqu'un peu court. Mais pour le réinterroger, ça allait être plutôt compliqué : Hoarau s'était envolé pour La Réunion, et ne serait de retour qu'à la rentrée universitaire. Dans trois mois donc.

Il était tard lorsque le capitaine arriva chez lui. Une Twingo verte était garée de travers dans l'allée, l'empêchant d'accéder au garage. Il ne put s'empêcher de rougir, s'en voulut comme si quelqu'un l'avait vu. Mais il s'en fichait. Bella était là. Sa soirée s'éclairait.

Jacopo

Florence. Villa Selvaggia, Pian dei Giullari. En refermant la porte derrière lui, Jacopo entendit les voix de sa fille Lucia et de Bella. Elles étaient dans le salon, assises, ou plutôt affalées dans un énorme canapé qui avait connu des jours meilleurs. La voix de Lucia trahissait son exaspération :

– J'en ai marre, Bel !

– De quoi tu en as marre, Lucia ? De quoi parlez-vous, les filles ?

– Tiens, te voilà enfin, grand chef.

– Bonsoir p'pa.

– Bonsoir ma puce, bonsoir Bel. Salut ma Tosca. Où est Anna ?

– Elle a dit qu'elle ne rentrerait pas dîner.

– Ce n'est pas ce que j'ai demandé. Où est-elle ?

Bella et les deux sœurs échangèrent un coup d'œil, mais aucune des trois ne répondit. Ce fut la biologiste qui rompit le silence :

– Hé, grand chef ! C'est comme ça qu'on me montre qu'on est très content de me voir ?

– Toi, reste en dehors de ça.

– Si c'est l'ambiance de la soirée... je ferais peut-être mieux de m'en aller.

– C'est vrai, p'pa, t'es franchement pas cool, là.

– Les pères ne sont pas censés être cool. Surtout les pères flics qui...

Bella toisa Jacopo, qui lui rendit son regard en fronçant les sourcils, mâchoires serrées. Anna avait vingt ans. Il ne pouvait pas être derrière ses filles chaque fois qu'elles sortaient avec leurs copains. Quoique...

– OK, OK. Ça va.

De la cuisine, où il souleva quelques couvercles, il cria :

– De quoi elle en a assez, la poupée d'amour à son papa ?

– Pas obligé d'en faire trop non plus, répliqua Lucia du salon, en riant tout bas parce que Bella venait de mettre deux doigts dans sa bouche et faisait semblant de vomir.

Lorsque Jacopo revint auprès d'elles, la biologiste lui tendit une bière :

– Bon, alors voilà, on s'excuse. Et on recommence depuis le début.

Lucia reprit la parole :

– On parlait de l'école, p'pa. De ma prof. Sous prétexte qu'elle a couché avec un écrivain il y a un million d'années, on n'étudie que son œuvre. Mais on a le bac cette année ! Ça fait vingt ans qu'elle inflige aux terminales l'étude de cet écrivaillon de troisième zone juste parce qu'il lui a...

– Ça va, chérie, j'ai compris.

Bella rigolait. Tosca, placide à son habitude, ne bougeait pas et parlait peu, restant le plus possible collée contre la jeune femme. C'était elle, silencieuse et refermée, qui avait le plus souffert du manque de leur mère. La biologiste se leva après avoir bu une gorgée de son vin blanc et alla à la cuisine. Lucia la suivit des yeux, se mit à bouder, alluma la télé. Les deux sœurs furent happées dans la minute par l'une de leurs séries préférées, *binge watching* dont elles étaient des adeptes. Jacopo en profita pour rejoindre la biologiste dans l'autre pièce. Ce fut Bella qui parla la première, toute trace de rire disparue :

– On m'a dit que tu avais été sur les lieux du dernier crime.

– Oui. Faut-il vraiment en discuter, là ?

– Seulement si tu as envie de savoir ce que ma copine du labo m'a dit...

– Quoi ?

– Tu te doutes bien que ce n'est pas le garçon qui les a tuées. Il avait du sang partout sur lui, mais ni l'ADN ni le groupe sanguin de celui retrouvé dans l'évier de la cuisine et dans le lavabo ne correspondent. Ce soir le garçon était encore en état de choc, mais il a pu décrire avec suffisamment de détails ce qui s'était passé. Il était en train de baiser avec les deux filles...

– Hé ! Parle plus bas.

– Il était en train de baiser, reprit Bella agacée, mais à voix plus modérée, dans la chambre avec les deux filles, lorsque quelqu'un l'a frappé à la tête. Il est revenu à lui sur le lit. Il a allumé la lampe de chevet. Et a vu la blonde criblée de coups de couteau à ses côtés. Quand il s'est levé, il a trébuché sur le corps de la seconde. Il a appelé le 112 sur son portable. Et voilà.

– C'est avéré ?

– Ma copine m'a dit que ça collait avec le matériel analysé jusqu'à maintenant. Et il a une bosse comme ça, dit-elle en montrant son poing, sur le crâne.

– Il aurait pu se faire ça tout seul.

– Oui, et puis nous appeler et nous attendre tranquillement.

– Fous-toi de moi. On a vu plus bizarre.

– Le rasoir d'Ockham.

– Quoi ?

– Pourquoi faire compliqué quand on peut faire simple ?

– Parce que les assassins sont des abrutis.

Bella soupira.

– Trente ans de métier pour en arriver à cette conclusion. Je ne te donne pas complètement tort, attention…

Cette fois, ce fut Jacopo qui soupira.

– Des traces ?

– Dehors. Des empreintes de pas. Une pointure de géant, du 45. Les traces de pneu d'un 4 × 4 aussi. On les confronte avec celles laissées sur les lieux de l'assassinat de l'interne et de l'enlèvement de la petite Donati. On passe au tamis le reste. Pour identifier les ADN frais. Les cheveux, les fibres, enfin tu connais ça aussi bien que moi. Mais il y en a tellement... On n'aura pas tout de suite les résultats.

– Autre chose ?

– Les filles ont reçu seize coups de couteau chacune. Pas une égratignure de plus.

– Comme la dernière. On les a identifiées ?

– Toutes leurs affaires étaient encore là. Carte d'identité pour l'une, passeport pour l'autre. Éparpillées, car leurs sacs ont été fouillés. Tiffany Gravina, la blonde, et Amber Falconieri, la brune. Bonnes familles. Père chef d'entreprise pour la première, ascendance noble pour la seconde. Des propriétaires terriens. Étudiantes séchant volontiers les cours toutes les deux. Autrement dit, elles ne faisaient pas grand-chose, à part s'amuser. Des fringues chères. Des chaussures hors de prix.

– Bizarre. J'ai vu des jeans déchirés.

– Des Cavalli. Trois cents euros pièce. On les délave dans une machine à laver spéciale remplie de cailloux.

– Et on jette la machine après. C'est pour ça qu'ils sont si chers... Qu'est-ce qu'on mange ?

– Des pâtes à l'encre de seiche. Et à propos, j'ai rencontré ton copain prof aujourd'hui.

– Quel copain prof ? Qu'est-ce que ça a à voir avec les pâtes ?

– Pas avec les pâtes. Avec l'encre. Ton copain black. Pas mal. Mais chelou.

– C'est pas mon copain.

– Effectivement, je ne crois pas non plus que vous soyez potes. J'ai vérifié ce qu'il m'a raconté, et j'ai répondu à ses questions. Il m'a fait de la peine. Tu sais comment il m'a trouvée ?

– Vas-y. Je m'attends au pire.

– Il a chopé le gars qui le suivait. Le balaise, je ne sais plus comment il s'appelle.

– Alessandro.

– Oui. Il lui a demandé qui s'occupait des traces biologiques. Comme ça, droit au but. Et, au fait, *congrats*. Si un prof de fac s'aperçoit qu'on le file, c'est que ton bonhomme a besoin d'un peu d'entraînement supplémentaire, tu ne crois pas ?

– Bella. Je suis crevé. J'ai envie de tout laisser tomber.

– Mais tu ne peux pas.

– Pourquoi ?

– Parce qu'on a besoin de mecs comme toi. D'hommes à qui on peut faire confiance.

– Nous les avons laissés faire, tous autant qu'ils sont, ma Bel. Les criminels bien sûr, mais aussi les hommes politiques, les trafiquants... les banquiers. Nous avons baissé les bras et déserté.

Bella ne dit rien. Elle s'approcha de lui et tendit la main pour lui caresser le visage, mais à la dernière seconde elle la retira et sortit de la pièce, pour rejoindre les filles sur le canapé du salon.

Lorsque le capitaine se coucha ce soir-là, il repensa à cette phrase de Bella. Au fond elle avait raison, il était vraiment un type bien, un type dont une femme... Qu'est-ce qu'elle avait dit déjà ? Et Kadi ? Quoi, Kadi ? Il n'avait trompé personne en couchant avec l'Ivoirienne. Bien sûr qu'on pouvait lui faire confiance. Tout à coup, il y avait comme du sable entre les draps. Tout à coup, il avait soif. Sa femme avait été longtemps malade. Presque cinq ans. Il ne s'était pas privé d'un petit coup de queue par-ci par-là. Il était un homme, avec des besoins d'homme, et alors ? Alors rien. Mais. Sa femme était en train de mourir. Et lui, il baisait ailleurs.

Il s'endormait lorsqu'une étrange vision l'envahit. Une fille lui tombait dans les bras. Elle se plaquait sur sa poitrine, nichait la tête sur son épaule. Il ressentit le frôlement de ses tétons dressés, son pubis qui frottait contre son ventre. Son sexe durcit, puis se recroquevilla lorsqu'il se rendit compte que la fille était glacée. Elle le contemplait avec des yeux remplis de toute la désolation du monde. Irina. Au diable le sommeil. Au diable tout ça. Il renfila son caleçon, alla se chercher un verre d'eau. Il ne manquait plus que la crucifiée...

qu'il avait déposée à terre avec une douceur de père et couverte de sa veste. Comme si elle pouvait encore avoir froid. Au diable le sommeil, et la nuit, et les pensées pour lesquelles il n'y a pas de *off*.

Les yeux d'Irina. Les yeux d'Irina écarquillés. Les deux filles mortes avaient les paupières baissées. Il consulta sa montre. Trop tard ou trop tôt pour appeler l'institut médico-légal. Il lui faudrait attendre le lendemain pour obtenir une confirmation concernant Amber et Tiffany. Benedetta, aussi. L'assassin baissait les paupières de ses victimes. Parce qu'il avait honte ? Pour elles, pour lui ? Pourquoi n'avait-il pas fermé les yeux d'Irina, dans ce cas ? Mais les roses rouges, tout ce merdier qui puait l'eau des fleurs de cimetière ? C'était bien la signature de ce putain de malade.

Assis à la table de la cuisine à moitié débarrassée, Jacopo se plongea dans l'étude des différents comptes-rendus. Il y avait tellement de détails à passer en revue. Qui avait téléphoné pour signaler le premier meurtre ? Était-ce un gang bang qui avait mal tourné ? Pourquoi laisser le portable de Pacciani sur la scène du deuxième crime ? Fausse piste ? Avertissement ? De qui ? Quelqu'un de chez eux ?

Il lui faudrait aussi convoquer Alessandro le lendemain. Jacopo se demandait pourquoi son homme ne lui avait pas parlé de la filature foirée. Son portable indiquait un appel manqué du carabinier, mais pas de message. Avili. Et vexé. Voilà comment il devait se sentir. Il y avait de quoi. Et puis merde. De toute façon.

De toute façon, la nuit était foutue.

Jacopo

Florence. Il pleuvait le matin où Irina et Benedetta furent enterrées, une pluie tranquille qui tombait sur les tilleuls, rafraîchissait la ville et l'apaisait. Le corps de Claudio Meli avait déjà été remis à sa famille et ses funérailles célébrées dans l'intimité, mais les analyses sur les cadavres féminins avaient requis plus de temps. Jacopo décida de se rendre aux deux inhumations. *Si ça se trouve, le mec qui a fait ça a envie de bander encore un coup. Ça ne m'étonnerait pas qu'il montre le bout de son nez.* Il demanda à Nino d'y assister aussi, en civil, et d'ouvrir l'œil, préférant s'adjoindre les services du jeune carabinier plutôt que d'Alessandro qui avait loupé sa filature, *Bel a raison, depuis quand un prof connaît les méthodes de la police ?* Francesco non plus ne faisait pas l'affaire, trop repérable avec son crâne d'œuf. Et puis, Jacopo faisait confiance au cœur du petit. À défaut d'avoir du métier, Nino était enthousiaste. Des jours comme celui-ci, c'était ce qui comptait le plus. Les jeunes filles mortes méritaient qu'on s'occupe d'elles. C'était lui qui avait tenu Irina dans ses bras pour la toute dernière fois, *Un être humain, pas un corps dépersonnalisé par les passes et la mort.* Le moteur de Jacopo était la compassion. Pas l'outil rêvé pour mener à bien une enquête, mais il n'y pouvait rien. *Un flic qui fait son boulot sans miséricorde devient un monstre, au même titre que celui qu'il est censé arrêter.* Et sans aller jusque-là, la déshumanisation de l'autre vient d'un manque d'imagination, *L'autre, c'est moi.* Qu'est-ce qu'il disait Nietzsche, déjà ? « Celui qui combat des monstres doit prendre garde à ne pas devenir monstre lui-même. Et si tu regardes longtemps un abîme, l'abîme regarde aussi en toi. » Pour Irina il n'avait rien pu faire, mais Benedetta Donati était encore vivante quand il avait été appelé sur la scène du crime. *Si j'avais été son père, j'aurais mis la ville à feu et à sang pour la trouver.* Elle avait été découverte morte deux jours après. Et pendant ce temps elle avait espéré, pleuré, prié… *Arrête. Tu n'es pas responsable de toute la douleur du monde. Lâche ton cilice, nom de Dieu.*

La seule chose qui lui restait, maintenant, c'était leur dire adieu. Et ouvrir l'œil.

Benedetta Donati eut droit au tombeau de famille, maigre consolation pour une famille dévastée. Jacopo se souvint de sa visite dans la maison de l'étudiante assassinée. La mère de la jeune fille était hospitalisée, en cure de sommeil. Son père, amiral de vaisseau dans la marine militaire, avait répondu posément à toutes ses questions. Non, Benedetta n'avait pas remarqué quelqu'un qui l'aurait suivie les derniers temps. Non, elle n'avait pas de fréquentations bizarres. Elle ne fumait pas d'herbe. Détestait boire. Ne sortait pas en boîte. Son meilleur ami, son confident, fréquentait le Conservatoire. Piano. Sorti premier de sa promotion. Il demanda à l'amiral ses coordonnées. Il fallait qu'il voie le petit. Mais pour l'instant celui-ci il était en tournée avec l'orchestre dans lequel il jouait. Un tour européen. Prague, Paris, Londres. Un silence s'était installé, que le capitaine avait interrompu de manière saugrenue. Il avait demandé à l'amiral de quelle couleur étaient les yeux de sa fille. Le père de Benedetta s'était effondré en sanglots, mettant fin à la conversation. *Quel con, mais quel con. Qu'est-ce qui lui avait pris ? Anna et ses yeux noirs. Tosca aux yeux dorés de sa mère. Et Lucia – que ses sœurs jalousaient pour ses iris bleu-vert. Les yeux de ses filles. Pour qui il aurait donné les siens sans hésiter.*

L'amiral était présent au cimetière ce matin-là. En grande tenue. Soutenant sa femme, leur plus jeune fils à leurs côtés. Chagrin et incompréhension. De l'irruption du mal dans le quotidien, aucun d'entre nous n'est à l'abri. Il y a une ligne de démarcation, un avant et un après. Des abysses surgissent ces créatures que nous reconnaissons à l'instant même où elles apparaissent. Nous-mêmes, nus.

Comme personne n'avait réclamé le corps d'Irina Radic, c'était la commune de Florence qui avait pris en charge ses obsèques. Le cimetière de Brozzi était ancien. Des vieilles tombes oubliées, pas beaucoup de fleurs. Plus émouvant cependant que celui, pimpant, d'où il venait. Ici, la campagne avait laissé la place à une vilaine banlieue qui érodait le bourg rural. Certaines dalles disparaissaient sous la mousse, le temps avait effacé noms et dates. « C'est pourquoi, vous aussi, tenez-vous prêts, car le Fils de l'homme viendra à l'heure où vous n'y penserez pas. » Le prêtre qui célébrait l'office des morts venait de prononcer ces mots tirés des Évangiles. Cela lui parut faire écho à ses pensées.

Ida, la tenancière du Dalaï-Lama, était présente. Ainsi qu'une dizaine d'autres femmes que lui et ses hommes avaient interrogées. L'une des prostituées portait l'enfant de la morte dans ses bras. Arrivée la dernière, Kadi. Un homme à ses côtés. Miles Lemoine. Jacopo se dirigea vers eux et, sans saluer personne, se tourna vers le professeur :

– Qu'est-ce que vous faites là ?

– Pareil que vous, capitaine. Et pareil sans doute que Laurel et Hardy derrière les cyprès. Le troll et son copain bien fringué. C'est qui, au fait, ces deux-là ? Peu importe. On dirait qu'on est tous ici pour les mêmes raisons.

– Vous n'avez pas le droit d'interférer.

– Vous en êtes où dans l'enquête ? Et sur la disparition de ma fille, il y a du neuf ?

– On vous tient au courant. Dès que…

– Ça fait deux semaines. Personne ne m'a contacté. Vous savez comment je vis ? Vous en avez la moindre idée ?

– On ne néglige aucune piste.

– Vous n'avez rien. Hormis la bande de branquignols que vous interrogez pour vous donner bonne conscience.

– La demoiselle à vos côtés ?

– Ni vous ni moi n'avons de profil précis, capitaine. Elle pourrait reconnaître l'un des clients d'Irina.

– Ainsi que ses collègues tapineuses.

À l'instant où Jacopo prononça ces mots, il eut honte.

Miles hocha la tête, le fixant avec des yeux qui s'enfonçaient loin. Kadi ne desserra pas les lèvres. Aux paroles du capitaine, ses narines avaient frémi. Elle détourna le regard et s'éloigna, allant rejoindre le groupe debout près du cercueil couvert de fleurs. Jacopo murmura :

– Je suis désolé.

– Ce n'est pas à moi qu'il faut faire des excuses. Et puis, vous n'avez dit que la vérité.

– Il y a manière et manière de le faire. Celle-ci ne me ressemble pas, reprit Jacopo, se tournant vers le prof et soutenant son regard.

Miles souffla par le nez, secouant la tête :

– Je vous crois, capitaine. Votre style, ce serait plutôt « défenseur de la veuve et de l'orphelin ». Ça inclut sans doute ces femmes qui font un sale boulot.

Jacopo en avait assez. Il avait chaud. Il était mal à l'aise. Et il s'en voulait. Il attaqua :

– Les femmes, tiens ! Vos grandes copines. Elles tombent comme des mouches quand vous leur jouez la comédie, n'est-ce pas, professeur ? Le beau ténébreux solitaire et taiseux. Même Bel vous trouve irrésistible.

– Et encore, elle ne m'a jamais vu nu.

– Pauvre type.

– On cesse tout de suite ce concours de conneries, voulez-vous ? Et, capitaine… Ne me faites plus jamais suivre. Ne m'obligez pas à me protéger.

– Vous ne me faites pas peur.

– Vous êtes tricard, mon pote. Dans votre propre boîte. À moitié dans un placard. L'autre moitié…

– L'autre moitié ?

– La retraite anticipée vous pend au nez, m'a-t-on dit. Capitaine, à la prochaine.

– Où allez-vous ?

– « Que celui qui n'a jamais péché jette la première pierre. » Luxure, faiblesse, lâcheté. Des hommes comme nous deux. Vous ne vous sentez jamais coupable, dites-moi ?

Jacopo le dévisagea. Miles n'attendait pas de réponse. Il la connaissait déjà. C'était la même que celle qu'il aurait lui-même donnée.

H.S.

un jour où tu te reposais dans ton lit, tu as vu le spectre d'un homme rampant au sol comme s'il était à la recherche de quelque chose qu'il ne trouvait pas. Tu as hurlé et tu t'es précipitée hors de la chambre. Dans l'escalier, tu as trébuché sur un autre spectre, affalé de côté et couvert de sang, une corde blanche autour du cou.

Tu ne savais pas que tu venais de contempler ta propre mort. Est-ce que tu as eu peur, maman ? Il ne fallait pas, tu sais. La mort est une amie. Tu ne peux pas imaginer comme elles sont contentes. Comme elles se laissent aller dans leur dernier soupir. La vie ne peut plus leur faire de mal, elles sont en paix. Plus besoin de lutter. Elles m'aiment. Je le vois à leurs yeux. Oh, comme elles me regardent ! Elles sont si fières de m'avoir tout donné. Je les embrasse. Je lèche leurs larmes, je caresse leurs visages pendant qu'elles s'en vont. Je les rends si heureuses. Si pures. À la fin, je leur demande de me pardonner, je connais cette lutte intérieure, c'est aussi dur de se battre que de lâcher. Je leur pardonne aussi quand elles parviennent à me blesser, rien de grave, maman, ne t'inquiète pas. Quand c'est fini, j'abaisse leurs paupières. Il n'y a plus rien dedans, la flamme est éteinte, leur âme est libre de s'envoler.

« C'est pourquoi, vous aussi, tenez-vous prêts, car le Fils de l'homme viendra à l'heure où vous n'y penserez pas. »

Jacopo

Florence. *Comando* des carabiniers, borgo Ognissanti. Les résultats des différentes analyses commencèrent à tomber les uns après les autres comme des dominos. Claudio Meli avait été abattu de deux coups tirés à distance rapprochée par un Beretta. Le couteau utilisé était probablement un Jimmy Lile, une arme crantée dont on se servait pour la chasse au gros gibier. Le *modus operandi* n'était pas le même pour les trois filles et pour Irina, dont la mort par suffocation avait été lente et terrible : la crucifixion provoque une compression des côtes – si on a de la chance, un infarctus abrège les souffrances.

Les dernières victimes n'avaient pas subi de violences sexuelles : les tests ne révélaient que les résidus des préservatifs de leur partenaire et rien d'autre. Toutes les deux avaient été tuées de seize coups à l'arme blanche. L'assassin avait ensuite tiré le drap sur l'une des jeunes femmes, et recomposé l'attitude de l'autre comme pour un shooting. Peut-être était-ce ce qu'il faisait, d'ailleurs : prendre des photos, tourner des vidéos. Avec les téléphones portables, un nouvel univers s'était ouvert aux détraqués. Ils pouvaient désormais partager leurs forfaits avec le monde entier à la minute où ils les commettaient. La bonne nouvelle venait d'une trace prélevée sous les ongles de la jeune femme brune, Amber. Elle s'était défendue – pour autant qu'une fille nue et terrorisée puisse se défendre –, griffant son agresseur jusqu'au sang. On détenait donc l'ADN du probable tueur. Qui ne servait pas à grand-chose puisqu'il n'y avait pas de base de données nationale. Et cet ADN si précieux, on ne l'avait pas retrouvé sur le corps d'Irina. Ce qui n'excluait donc pas deux tueurs différents. Ou trois, ou quatre... Perspective démoralisante. Par ailleurs, l'intuition du capitaine à propos d'un assassin qui fermait les yeux de ses victimes avait porté ses fruits. On avait relevé des crêtes digitales imperceptibles à l'œil nu sur les paupières de toutes les filles, à part Irina. Déposées à travers un gant de latex, à cause d'une transpiration excessive. Ce type avait donc, sinon des émotions, du moins des réactions physiques. Les empreintes restaient difficiles à exploiter, mais pas impossibles à confronter. Au cas où on trouverait matière à confrontation.

Quant aux traces de pneus sur les deux dernières scènes de crime, elles étaient identiques : mêmes points d'usure. En revanche, les empreintes de pas de géant étaient une fausse piste : elles avaient été laissées par un policier sorti fumer une cigarette. Pas si grave, puisque depuis Sherlock Holmes on n'avait plus jamais coincé un tueur grâce à sa pointure.

Carlalberto Davanzati, le jeune homme survivant – « *più culo che anima*, plus de chance que d'entendement », comme on l'avait surnommé dans le service –, fut interrogé dans les bureaux de Mattotti. Jacopo demanda la permission d'assister à l'interrogatoire, requête qui lui fut distraitement accordée. Comme si, quoi qu'il pût faire, la messe avait déjà été dite. Le jeune Davanzati sortait avec Amber et Tiffany depuis l'hiver. C'était Amber qui avait ses entrées dans le Chianti, car ses parents étaient intimes des propriétaires du bourg. Elle avait volé un double des clés du mas et, dès lors, les trois jeunes gens en avaient fait leur lieu de rendez-vous. Ils y fumaient de l'herbe, buvaient des verres, dansaient, couchaient. Davanzati était en train de « tirer son coup », lorsqu'il avait « disjoncté » :

– On ne faisait de mal à personne, monsieur. C'était juste pour passer un bon moment, quoi, déclara-t-il, avec un brin d'arrogance maintenant que la peur était passée.

On lui fit remarquer que fumer de la marijuana était illégal, mais il répliqua que jeter en taule un miraculé ne serait pas très bon pour l'image de la police. Son avocat fronça les sourcils et ne dit rien, mais Jacopo le sentait prêt à réagir. L'interrogatoire continua sans surprises. On aurait dit que le jeune homme ne voyait rien, n'entendait rien. Un autiste de la vie, attentif à une seule chose : lui-même. Non, il n'avait rien observé de bizarre avant le rendez-vous avec les filles. Non, il n'avait rien remarqué après, à part que « c'était dégueulasse, ça chlinguait grave ». Jacopo tiqua sur les mots choisis par le jeune homme. Il s'interposa, demanda l'autorisation de lui poser quelques questions à son tour. Le capitaine avait envie de rentrer dans le lard du jeune crétin, mais il trouva porte close sur une cathédrale de bêtise et d'indifférence. Lorsqu'il insista pour savoir si c'était tout ce que Davanzati pouvait faire pour aider à attraper celui qui avait massacré ses petites copines, le jeune homme le fixa comme si le capitaine lui avait posé une question sur la *Critique de la raison pure*. Jacopo répéta :

– Tes copines ont été saignées comme des brebis, Carlalberto. Qu'est-ce que ça te fait ?

Davanzati réfléchit un moment, puis lâcha :

– Ben, monsieur... les boules, quoi.

Là-dessus, son avocat le sortit avant que le capitaine ne l'étrangle, et les vilains flics qui s'étaient acharnés sur le rejeton des Davanzati furent rappelés à l'ordre : la Limace jouait au golf avec les amis du papa. Le garçon allait être expédié dans une maison de repos en Suisse, avec ordre de rester à disposition. On ne le reverrait qu'au procès. Si on trouvait quelqu'un à mettre en examen. Vu la manière dont l'enquête avançait, ce ne serait pas demain la veille. À moins que l'assassin ne se rende pour sauver son âme putride. C'est ça. Et ce jour-là, les hommes politiques diraient la vérité sur leurs comptes de campagne. Jacopo sortit fumasse de la salle d'interrogatoire. Prêt à cogner le premier qu'il trouverait sur son chemin. En marchant, il faisait des grands gestes. On aurait dit qu'il donnait des claques à une personne invisible. Et il parlait tout seul :

– Je vais lui casser la gueule, à ce merdeux. Le réduire en *spaghetti. 'fanculo.*

Du brouillard, rien que du brouillard où que son regard se posât. La pensée du capitaine revint sur l'ADN trouvé sous les ongles de la jeune Amber. Il se pouvait que le tueur ait déjà testé ses aptitudes ailleurs. Jacopo se demanda pour la énième fois comment infiltrer une base de données ailleurs qu'en Italie. Même si, du point de vue juridique, une preuve acquise de manière illicite ne pouvait être présentée au procès, cela pourrait orienter ses recherches du bon côté. Et avec un peu de chance, il pourrait éviter que d'autres filles ne tombent. Plutôt qu'étrangler un abruti qui, quoi qu'il en soit, n'avait rien fait de mal à part fumer quelques joints et « tirer des coups ». Il revit les préservatifs et leurs étuis au pied du lit. Dix étuis.

Et huit préservatifs utilisés. Un braquemart sur pattes.

Revenu dans son bureau, Jacopo s'assit sur son fauteuil et le fit tourner vingt fois sur lui-même. Il trouva un élastique, roula des boulettes de papier et visa sa corbeille avec. Se mit un doigt dans le nez, se souvint de la sale habitude de Mattotti et le ressortit aussitôt. Puis revint à son ordinateur. Le curriculum de Miles Lemoine dont il avait fait la demande aux services américains venait d'arriver par mail. Il comprenait une dizaine de pages. Le sigle « CIA » lui sauta aux yeux. Jacopo alla chercher son dictionnaire italien-anglais sur les étagères. Il aurait pu faire appel à un traducteur, mais il pensa au temps que ça prendrait de remplir un formulaire, de le faire valider par Mattotti puis par la comptabilité, et cela le découragea.

Il chaussa ses lunettes et se mit au boulot.

Jacopo

Florence, via dei Baldovini. Domicile de Kadi. Un vaste appartement clair, une chambre presque nue à l'exception du grand lit aux draps immaculés, et une ancienne statue africaine en bois poli qui trônait dans un coin. Jacopo se tenait adossé au mur, un coussin derrière lui. L'Ivoirienne, nue, debout près de la fenêtre, regardait dehors, un verre à la main :

– On perd le futur parce qu'on est incapables de faire face au présent, capitaine.

– Qu'est-ce que tu veux dire par là, Kadi ?

– Que nous avons tous tendance à espérer des jours meilleurs sans profiter de ceux que nous sommes en train de vivre. Du coup, on bousille l'un et l'autre.

– Présent et futur, c'est ça ?

L'Ivoirienne se tourna. Jacopo saisit un bout de drap et s'en couvrit le bas-ventre. Kadi soupira :

– J'aurais dû dire les trois. Le passé aussi aura filé sans avoir été vécu, Malaspina.

Depuis le début, Kadi l'avait surnommé Malaspina. Vilaine épine. Une mauvaise écharde, qui se fiche sous les ongles ou dans le gras du pied. Jacopo passa la langue sur le bord du verre. Il ne voyait pas où Kadi voulait en venir. Elle lui avait préparé une margarita sans lui demander ce qu'il boirait. Juste parce qu'elle avait eu envie d'en boire une aussi, lui avait-elle dit. L'alcool l'avait un peu étourdi. Il avait des papillons dans le ventre. Dans la poitrine. Partout. C'était la septième fois qu'il venait la voir. Chaque fois il se retrouvait dehors, après, avec le même besoin qu'il avait eu en entrant. La rage en moins. Kadi était tendre, chaude et distante pendant qu'il lui faisait l'amour. Jacopo avait eu sa part d'amoureuses depuis la mort de son épouse, mais d'habitude c'était lui qui se retrouvait à la place de l'Ivoirienne. Chaud et distant. Aujourd'hui les rôles s'étaient inversés. Mais le sexe était si naturel avec elle que Jacopo se libérait de toutes les frustrations, de toutes les égratignures passées. Elle se soumettait paisiblement au moindre de ses fantasmes, mais il sentait qu'il ne l'atteignait pas. Souvent, il recommençait dès qu'il avait terminé. Jamais elle ne protestait. Il passait de longues minutes à lui lécher les lèvres, le visage et le cou, les seins, le corps tout entier. Il pensait que sa bouche la faisait jouir, mais était-ce vrai ? Comment savoir quand une femme fait semblant ? Kadi ne répondait ni oui ni non lorsqu'il lui posait la question. Honteux comme un adolescent.

Cependant le râle de l'Ivoirienne, semblable à une chanson, durait si longtemps qu'il en était envieux. Sa propre jouissance lui paraissait si violente et éphémère qu'il aurait voulu à ce moment-là être dans son corps à elle, un corps qu'elle lui abandonnait lorsqu'il recommençait, pour la troisième fois, à la pénétrer. Elle ne lui demandait jamais d'argent. Il lui en laissait, beaucoup, sur la table de la cuisine. Plus que pour une passe normale, le double ou le triple.

Il lui avait demandé pardon pour les paroles prononcées à l'enterrement. Elle avait accepté ses excuses d'un air ironique, puis répliqué, « Tu es jaloux, Malaspina ? » Bella lui avait demandé la même chose il n'y avait pas si longtemps. Avec ce même sourire aux lèvres.

Oui, il était jaloux, et mortifié de l'être. Jamais il ne l'avait été de Colomba. Ni des femmes qu'il avait connues après sa mort. Il découvrait un monde de tyrannie et d'inquiétude, et ça ne lui plaisait pas. Il y avait entre Miles et Kadi un lien particulier. Une connivence, une complicité dont il se sentait exclu. Il ne pouvait pas rivaliser. Faire l'amour à Kadi ne lui suffisait pas. Il désirait être le seul à la faire jouir. C'était si banal qu'il était étonné de voir à quel point sa raison et son cœur divergeaient. Sa queue, elle, se posait beaucoup moins de questions. Dès qu'il approchait l'Ivoirienne, il bandait comme cela ne lui était plus arrivé depuis ses dix-huit ans. De cela, au moins, il lui était reconnaissant. Le capitaine revint à son enquête :

– Tu as reconnu quelqu'un à l'enterrement ?

– Peut-être. Un jeune avec une casquette qui lui cachait une partie du visage. Il ressemblait à un client que j'avais en commun avec Irina. Un petit salopard. Mais je ne l'ai pas bien vu. Ceci dit, j'avais si envie de reconnaître quelqu'un que ça m'a peut-être joué des tours. Je ne sais pas.

– Tu saurais le reconnaître en photo ?

– Bien sûr.

– Il a une voiture ?

– Je l'ai toujours vu à pied, Malaspina. Je l'ai déjà dit à…

– À qui ? Au prof ?

– Oui.

La vilaine épine, c'est dans sa poitrine qu'elle s'était plantée. Et lorsqu'il rentra chez lui, à 3 heures du matin, elle y était toujours. Lucia et Tosca dormaient. Mais le lit d'Anna était vide. Il chercha un mot dans la cuisine, revint dans l'entrée. Rien. Pas de SMS non plus sur son portable. Il l'appela et tomba directement sur son répondeur. Laissa un message. Rappela tout de suite après. Il s'endormit angoissé. Chaque fois qu'il se réveillait, il retournait dans la chambre d'Anna. Se recouchait. Les rêves décousus reprenaient. Irina pleurait pendant qu'il lui faisait l'amour, puis son aînée riait dans les bras d'un type à la figure cachée par une casquette. Lorsque l'homme se tournait vers lui, il voyait ses yeux qui brillaient, aussi lumineux qu'un ciel de montagne, dans un visage noir. Le visage de Miles.

Le matin venu, Anna n'était toujours pas là.

Miles

Couvent de Tosina. Les draps que Miles avait mis à sécher frissonnaient dans la brise. Pourquoi les ramasser ? Pas besoin d'un lit, il ne dormait plus, sauf par brèves pertes de conscience en boule sur le canapé. Le châle de sa fille sur les épaules, il errait dans la maison vide, Furia perplexe sur les talons. Le châle gardait l'odeur des cheveux et de la peau d'Indiana. Shampoing et talc. Son brillant à lèvres. Le vernis qu'elle mettait sur ses ongles pour ne pas les ronger. Un coq chanta, un autre plus loin lui répondit. Une moissonneuse-batteuse tourna entre deux coteaux. Il n'avait pas la force de bouger. Il ne devait aller nulle part, ne pouvait rien faire.

Debout devant la fenêtre. Depuis la disparition d'Indiana il ruminait en boucle des trucs du quotidien, « Papa est-ce que tu me trouves jolie ? – Oui, mon pou. – Papaaa… Jolie, jolie ? – Maintenant que tu m'y fais réfléchir, non, pas vraiment », et Indiana avait envoyé son coussin à travers la pièce,

« Allez, Grumpy, pète un coup, ça te détendra », et au lieu de se dire qu'on ne parle pas comme ça à son père ça l'avait fait rire et elle aussi avait rigolé – son sourire qui dézinguait, son rire qui ravageait – et il avait su que ça ne durerait pas, un connard mielleux allait la lui enlever, alors il s'était levé pour l'embrasser mais déjà elle scrutait l'écran de son portable, et ces souvenirs, c'était comme penser à Dieu, qu'on y croie ou pas, ça ne change rien.

Debout devant la fenêtre depuis une éternité, ou ce qui tient lieu d'éternité quand on ne vit plus.

Bella l'appela. On avait retrouvé la Vespa de sa fille dans la manufacture désaffectée où le corps de Benedetta Donati avait été abandonné. Il fut obligé de poser son téléphone. Plié en deux. Envie de vomir. La voix de sa fille dans les oreilles, *Papa, papa*. Si fort qu'il n'entendait plus celle de la biologiste.

– Vous tenez le coup, professeur ?

Non, je ne tiens pas le coup. J'offrirais à Dieu ce qui me reste de vie pour qu'Indie soit de retour ce soir, comme si de rien n'était. Il se serait livré pieds et poings liés à son ravisseur, oui. Il ne pouvait pas lui dire tout ça, alors il se tut. Elle hésita, puis :

– Vous êtes toujours là ?

Sans attendre sa réponse, comme si elle reprenait son souffle, elle l'avertit qu'on viendrait chez lui. Perquisitionner. Le questionner. Miles avala la salive qui lui emplissait la bouche. Bile et terreur. Elle lui répéta :

– Ne parlez à personne de ce coup de fil ou je vais passer un sale quart d'heure. Je tenais juste à ce que vous le sachiez. Parce que…

Un blanc.

– Votre passé a été fouillé. Il y a des zones d'ombre… Soyez prêt à répondre aux questions qu'on vous posera.

Le professeur la remercia, raccrocha. Des *zones d'ombre*. Comme c'était gentiment dit.

Furia lui renifla les chevilles puis grimpa sur le vieux fauteuil en cuir éraflé sans le quitter des yeux. Il posa la tête entre les pattes, le regard toujours rivé sur lui. Miles ne pensait à rien. La voix de sa fille s'éloignait, un soupir entre les arbres, entre les draps raidis par le vent des jours derniers.

C'était comme si quelqu'un serrait son cœur dans un poing. Ouvert, fermé. Ouvert, fermé. Fermé, fermé. *Respirer. Respirer.*

Son portable sonna. On le convoquait à la caserne.

– Soyez là à 16 heures précises, s'il vous plaît.

Un interrogatoire informel, rien d'officiel, pas de souci à se faire.

– Ah, au fait, la Vespa de votre fille a été retrouvée. Ça ne change rien, il ne faut pas vous mettre martel en tête. À 16 heures, sans faute.

Il haït cette voix qui jouait avec sa vie.

15 heures 55. La jeune femme de la réception, dans un uniforme qui, par malheur, en épousait les formes, lui fit signe de patienter. Un type en civil se présenta, « *Piacere, maresciallo Salvini* », lui demanda de sortir avec lui. Miles n'y comprenait rien. C'était ça, un « interrogatoire informel » en Italie ? Allaient-ils boire un café ensemble ? Ils se dirigèrent vers le parking.

– Ça ne vous dérange pas si on prend votre véhicule, professeur ?

– Pour aller où ?

– Vous êtes venu avec votre voiture, n'est-ce pas ? insista-t-il. Où est-elle ?

– Juste là.

– Le Rav 4 ? Solide. Ça ne vous gêne pas de nous le laisser un jour ou deux ?

– Bien sûr que si, ça me gêne. Je n'habite pas en ville.

– Ce n'était pas une question, en fait. Nous en avons besoin. Nous allons procéder à des prélèvements.

– C'est moi que vous soupçonnez ?

– Simple formalité, professeur. Ne vous inquiétez pas.

– C'est ma fille qui a disparu.

– Vous allez nous laisser les clés de votre voiture et me suivre au bureau.

– Comment je vais rentrer ce soir ?

– On vous raccompagnera.

Ça n'aura jamais de putain de fin. Jamais.

Jacopo

Florence. Villa Selvaggia, Pian dei Giullari. Jacopo était sous la douche lorsque son portable sonna. Il sortit de la cabine, manqua de se prendre les pieds dans le tapis de bain, répondit au téléphone qu'il avait posé sur le lavabo. Anna. Sa fille s'excusait, elle était chez des amis, avait trop bu, s'était endormie et venait à peine de se réveiller :

– Désolée, p'pa, vraiment. J'espère que tu ne t'es pas fait trop de souci.

Non, ma fille, j'ai juste perdu trois ans d'espérance de vie. Et puis… *Vraisemblable mais faux, ma caille. Un mensonge cousu de fil blanc, inventé pour rassurer ton père… Ton père qui… quoi ? Un père qui oblige ses filles à lui mentir afin de gagner un peu de liberté ?* Anna avait tiré une leçon de sa première fugue. Elle dissimulait aujourd'hui une histoire à laquelle elle ne voulait pas le mêler. *Ou, plutôt, sur laquelle elle ne veut pas que tu poses tes grosses pattes.* Il la comprenait. Se souvenant de son jugement sur son premier petit copain, *Un surfeur aux tablettes de chocolat et aux yeux bleus. Bleu piscine. Quand tu regardes dedans, tu vois tout de suite le fond.* Anna avait été blessée. Et lui s'était trouvé con. N'empêche, il avait eu raison.

Et puis. Est-ce qu'il était transparent, lui, quand il était question de sa propre vie ? Avait-il envie que ses filles sachent qui il fréquentait ? Et qu'est-ce qui était le plus inavouable ? Le fait de sortir avec une pute ? Ou d'en être amoureux ? Lorsque cela lui traversa l'esprit, il en fut aussi stupéfait que si on lui avait jeté un seau d'eau glacée à la figure. Dans la salle de bains embuée, il reposa le portable sur le lavabo puis essuya le miroir du dos de la main. Il ne se voyait que jusqu'à la taille. Un peu de ventre, qu'il rentra. Des poignées d'amour. Bras et jambes musclés, le sexe qui pendait, lourd et bête, entre les poils du pubis mouillés. Voilà l'homme que Kadi acceptait dans son lit. Un homme comme tous ceux qui la payaient, mais est-ce qu'elle se conduisait avec les autres comme avec lui ? *Pourquoi elle te donnerait autre chose ? Qu'est-ce que tu as de différent à lui proposer ?* Ce fut au moment où Jacopo découvrit qu'il était épris de l'Ivoirienne qu'il résolut de ne plus la voir. Décuplant de ce fait l'envie qu'il avait d'elle. Furieux, il quitta la salle de bains, s'habilla, arriva au bureau les cheveux encore humides. Pour découvrir qu'on avait coffré Miles. Le professeur était en garde à vue depuis la veille au soir. Michele Salvini l'avait arrêté sur ordre de

Mattotti. Suite à sa suggestion. Le compte-rendu reçu des États-Unis révélait que, même si le prof s'en était tiré à bon compte lors du meurtre de sa femme, son rôle dans cette sombre histoire n'avait pas été totalement éclairci. La disparition de sa fille prenait une dimension inquiétante.

Putain de prof ! Il l'avait complètement oublié.

Jacopo

Florence, *comando* des carabiniers. Bureau du capitaine D'Orto. Liste de choses à faire. De questions à poser. De témoins à voir. Et un mémo de Mattotti, *Il est à noter que seule Benedetta Donati est une jeune fille rangée. Les autres victimes sont une prostituée et deux jeunes femmes aux mœurs légères. Le mobile est à chercher dans une haine pathologique du féminin et les dénominateurs communs des crimes sont :*

a) l'emploi récurrent d'une arme blanche (substitut du pénis) ;

b) les sévices sexuels exercés avec un corps étranger – deux cas sur trois pour les victimes de sexe féminin (possible impuissance) ;

c) l'hommage au Monstre (mimétisme et/ou rivalité. Jalousie vis-à-vis du père).

Et ça continuait sur ce ton le long d'une dizaine de pages. La vérité était qu'on ne savait rien de rien, mais qu'il fallait faire comme si.

Avant de convoquer le professeur, Jacopo s'assura qu'on lui avait coupé une mèche de cheveux, fait une prise de sang et prélevé les empreintes digitales. Salvini, réjoui, confirma. *Ce fayot. S'il avait été un chien, il aurait remué de l'arrière-train.* Le capitaine le congédia, prit place sur son fauteuil et visionna l'enregistrement de l'interrogatoire à la recherche d'un détail qui lui permettrait de retenir Lemoine plus longtemps. Le mail reçu des États-Unis faisait état des soupçons qui avaient pesé sur le professeur à la mort de sa femme ainsi que de ses faits d'armes en Amérique latine, bien que cette partie restât neutre. La CIA y était citée, mais comme on aurait cité une organisation gouvernementale aussi inoffensive que la Croix-Rouge ou Médecins sans frontières. Ce n'était qu'une vague allusion à des opérations, et pour comprendre ce que cela signifiait, le capitaine avait dû passer un long moment sur Internet. Au Salvador et au Nicaragua, on les avait appelés « escadrons de la mort ». Ou « groupe 14, bataillon 3-16 ». C'était la même chose sous des noms différents. *Covered actions*, que l'on pouvait traduire par « opérations parallèles ». Ordonnées et dirigées par la CIA avec la collaboration d'anciens nazis dans le but de tuer, torturer, semer la terreur en Amérique latine, anéantir la résistance démocratique et ses dirigeants communistes. Des actions financées par la vente d'armes à la République islamique d'Iran, représentant trente millions de dollars aussitôt réinvestis. Jacopo avait passé plusieurs heures sur des documents qui lui avaient donné la nausée.

Il y avait autre chose qui, en l'occurrence, le troublait : l'âge de Miles Lemoine à l'époque. Dix-neuf ans. Si, depuis toujours, c'est un âge pour mourir à la guerre, ce n'est pas un âge où l'on sait pourquoi on se bat. Jacopo se souvenait de ses propres dix-neuf ans, de la fin de la guerre du Vietnam, de la mort de Pasolini, de Keith Jarret et du *Köln Concert*, d'Eddy Merckx et des premières Brigades rouges, de la naissance des radios libres et du massacre du Circeo – deux jeunes filles violées et torturées par trois gentils garçons de la haute. Au cours du procès, les mères de ces derniers avaient traité les victimes de salopes, les accusant d'avoir séduit leurs fils. Il était bon parfois de se rappeler ce qu'était l'Italie, il n'y avait pas si longtemps de cela.

Il revint en arrière, fit de nouveau défiler la vidéo, figea l'image du professeur et s'approcha de l'écran. Il détailla le cou droit et ferme, la mâchoire, les lèvres charnues qui lui rappelaient celles de Kadi. Les cheveux ras, les oreilles délicates. Il passa un moment à contempler ce que cet homme avait de plus singulier : ses yeux. Un regard indéchiffrable. Celui d'un assassin, Jacopo n'avait pas de doute là-dessus. Le pire n'avait pas été dévoilé sur les opérations parallèles menées par l'armée en Amérique latine – ces *expériences terminales.* La manœuvre était simple à ses yeux, il ne fallait pas être un géopoliticien de talent ou un Nobel d'histoire pour la comprendre : recrutez des truands, financez leur ascension au pouvoir et faites des affaires avec eux. Bananes, café. Drogue. L'assassinat comme outil de travail du gouvernement. Avec un seul mot d'ordre : protéger l'Amérique et son mode de vie. Le reste du monde peut aller se faire foutre. Lorsque des voix s'étaient élevées pour éclaircir l'implication des États-Unis, les dirigeants de l'Agence centrale du renseignement avaient argué que le dossier était classé top-secret. Ils agissaient comme si la CIA était une entreprise commerciale privée, comme si elle avait le droit de refuser les demandes des enquêteurs. Comment se fait-il qu'un bureau du gouvernement fédéral puisse se permettre de ne pas répondre de et sur son action ? L'opinion internationale en avait été offusquée, les journalistes s'étaient déchaînés, les historiens avaient cherché des preuves. On avait même mis sur pied une commission sénatoriale. Qui n'avait pas eu plus de succès. C'était anticonstitutionnel, certes, mais la CIA prétextait toujours des questions de sécurité nationale. Jacopo avait compris les grandes lignes de tout cela. Mais il aurait donné cher pour connaître les ordres que l'armée américaine avait donnés à ses recrues. Des gosses de dix-huit, dix-neuf, vingt ans. Dont Miles Lemoine. L'image du prof était toujours figée sur l'écran. Jacopo se dit encore une fois que les femmes raffolaient sans doute de ce type. Sensuel, secret et dangereux, c'était comme ça qu'elles le voyaient. Lui aussi avait sans doute couché avec l'Ivoirienne. Car c'était bien le boulot de Kadi, n'est-ce pas ? Assouvir les fantasmes des mecs. Jouir, ou faire semblant, pour les accrocher. *Ne plus la voir. Jamais.*

Lorsqu'il convoqua Miles dans son bureau, Jacopo réprima un sursaut de satisfaction en le voyant froissé par une nuit sans sommeil, sentant le fauve, et plus furieux encore que lui-même ne l'était. Ce fut le professeur qui, debout, lui lança une fois la porte fermée :

– On peut savoir ce qui vous a pris ? Vous avez le droit de jeter en prison n'importe qui à n'importe quel moment chez vous ?

– Votre voiture, professeur.

– Qu'est-ce qu'elle a, ma voiture ? Vous avez trouvé un cadavre dans le coffre ? Sinon, je ne vois pas pourquoi…

– Faites le malin, allez-y. Foutez-vous encore plus dans la merde, c'est pas moi qui vous en sortirai. Votre voiture a les mêmes pneus que celle qui a laissé des traces près de la dernière scène de crime. Ainsi que de l'avant-dernière.

– Génial. Les pneus les moins chers que m'a proposés mon garagiste. Une découverte de premier ordre, capitaine. Dans cette ville, la majorité des 4 × 4 sont équipés avec des pneus de la même marque que les miens.

– Mais pas du même modèle. On est en train de confronter les points d'usure et…

– Et vous ne trouverez rien. Vous le savez déjà, capitaine.

– Vous n'avez aucun alibi pour les heures auxquelles les crimes ont été commis.

– Mon alibi, c'est ma fille.

– Votre fille a disparu. Comme c'est commode.

– Je ne sais pas ce qui vous a mis dans cet état. Mais ce que vous venez de dire est impardonnable.

– Je m'en tape, de votre pardon. Vous rôdez, professeur. Vous êtes comme la mauvaise odeur qui colle aux semelles quand on écrase une merde de chien. Toujours dans les pattes, partout où cette enquête a lieu. Aux funérailles des filles tuées. Au Dalaï-Lama Café et…

Jacopo se reprit avant d'aller plus loin. Il lui sembla qu'un sourire ironique avait effleuré les lèvres de son interlocuteur. Il continua, plus bas :

– Il paraît aussi que vous ne pouvez pas garder votre queue dans votre pantalon. Et vous n'avez répondu à aucune question à propos de la mort de votre femme et de votre incarcération.

– Rien de tout cela ne vous concerne, capitaine. Je n'ai toujours pas compris si j'étais en état d'arrestation. Si ce n'est pas le cas, je m'en vais. Et je porterai plainte pour abus de pouvoir, ou je ne sais comment on appelle ça ici. Je le signalerai également auprès de mon ambassade. Je vais être votre pire cauchemar, capitaine.

– Vous l'êtes déjà.

Jacopo

Florence, *comando* des carabiniers. La porte du bureau de Jacopo venait à peine de se refermer sur un Miles hors de lui lorsque Nino la rouvrit à la volée pour lui faire part de ses dernières « découvertes ». Jacopo renonça à le calmer, et le jeune carabinier, presque hystérique, lut un feuillet qu'il tenait à la main, énumérant fébrilement les différents points de son discours, comme un gosse avec sa liste pour le Père Noël.

– Dans les évangiles apocryphes il est révélé que saint André, condamné à mort, refusa d'être sauvé par ses nombreux adeptes : « Il leur dit d'aller en appeler d'autres pour qu'ils assistent à sa fin. Lors de son crucifiement, de nombreuses personnes vinrent l'écouter prêcher jusqu'à la fin. » Les pratiquants de jeux sadomasochistes utilisent la croix de saint André sur laquelle ils attachent le/la supplicié(e) avec son accord. Non celle du Christ en T, dont se servait le Ku Klux Klan pour les lynchages, mais celle en X sur laquelle Irina a trouvé la mort. La piste ésotérique de la Rose Rouge se dessine au travers des anciens meurtres et reparaît en filigrane dans les derniers, notamment dans le détail des fleurs retrouvées à proximité des filles mortes.

Nino criait presque maintenant :

– Capitaine, vous vous souvenez des fleurs sur le cercueil d'Irina ? C'étaient des roses rouges. Des *roses rouges*, capitaine. C'est clair, non ?

– Calme-toi, Nino. C'était ses copines.

– Non, capitaine. J'ai interrogé le type des pompes funèbres. Ç'a été commandé et payé sur Internet. Avec un pseudo, Helter Skelter.

Jacopo se massa le front avec trois doigts. Il n'était que 11 heures du matin. *Déjà crevé.*

– J'imagine que tu as essayé de craquer les données du mystérieux envoyeur ?

Nino lui répondit, confus :

– Un PayPal étranger. Je n'ai pas réussi à obtenir ses coordonnées. Mais enfin, capitaine, ça se tient, non ? Les fleurs, et surtout les roses rouges, on les retrouve dans tous les meurtres !

– C'est quoi, ton explication ?

– Un sacrifice, pour commencer. Sept hommes, un chiffre sacré. Qui violent la jeune femme, la torturent et la tuent. Une messe noire. Comme du temps du Monstre. Pacciani et ses copains n'étaient que la main-d'œuvre qui ramenait non seulement des fétiches sexuels à un cercle d'adeptes, mais qui travaillait aussi pour d'autres personnes. Sur le compte en banque de Pacciani on a trouvé un paquet d'argent, alors qu'il n'était qu'un simple paysan : l'équivalent de trois cent mille euros d'aujourd'hui. D'où ça venait ? De ses commanditaires, évidemment. Des gens riches qui avaient besoin de reliques des filles poignardées pour célébrer des cérémonies propitiatoires. Peut-être y assistaient-ils, d'ailleurs, à ces mises à mort. Et puis écoutez : la prostituée que les copains de Pacciani fréquentaient et qui devait forcément savoir quelque chose a été retrouvée carbonisée avec son fils de trois ans. Un autre témoin inconfortable « suicidé » dans sa salle de bains, et l'amant de sa femme grillé dans sa voiture, comme la prostituée. Un médecin de Pérouse qui savait trop de choses a aussi mis fin à ses jours en se noyant. En 1980, 1983 et 1985, trois voyeurs ont été poignardés à mort dans la campagne florentine. Tous faisaient partie de ce groupe qu'on appelait les « Indiens », des hommes qui se retrouvaient à la Taverne du Diable, leur lieu de rendez-vous. En juin 1981, un autre voyeur qui affirmait avoir été présent lors du dernier double crime – et qui en avait parlé à sa femme – a été mis en examen. En septembre, voici qu'un nouveau double crime l'a lavé des soupçons qui pesaient sur lui. Ç'a été la seule année où le Monstre a frappé deux fois ! Et encore : une amie de l'une des victimes, retrouvée morte dans la buanderie de l'hôtel où elle travaillait. Le couteau avec lequel elle se serait suicidée était toujours dans son vagin. Existe-t-il un autre cas de fille qui se serait poignardée elle-même plusieurs fois puis se serait enfoncé le couteau entre les jambes ? Et je ne vous parle pas des spirales composées de cailloux contenant des peaux d'animaux, des croix et des baies, comme celles utilisées dans le cadre de certaines cérémonies chthoniennes, photographiées près du dernier couple tué. L'avocat Paolo Franceschetti a consacré des années à toutes ces hypothèses, mais personne ne veut l'écouter… Capitaine… Vous-même, vous m'avez dit que l'enquête avait été stoppée dès que…

– Nino.

– Oui, capitaine.

– Tu sais qui, le premier, a parlé de messes noires ? Des cérémonies, des loges et tout ce bordel ?

– Oui, Michele Giuttari, le chef de la police à ce moment-là.

– Giuttari a émis cette hypothèse à partir d'une étude psycho-criminologique commissionnée par les services secrets.

– Et alors ?

– Reste concentré, Nino. Et écoute-moi bien. La loge P2, ça te parle ?

– C'est vieux. Je n'étais même pas né… Je ne vois pas le rapport.

– Tu sais qui faisait partie de cette loge secrète ? À part Berlusconi et les plus grands banquiers italiens ? Douze généraux des carabiniers, cinq de la police financière, vingt-deux de l'armée, et quatre de l'aviation militaire. Et tous, absolument tous les patrons des services secrets.

– Et alors ?

– Hé ho, Nino ! Réveille-toi ! Ce sont les services secrets qui l'avaient commandée, ton expertise ! Tout ce qu'ils ont touché dans ce pays a été pollué. C'était leur truc. Du dépistage. Les enquêtes sur les grands mystères italiens, les massacres et les attentats... Quasiment tout ce qui s'est passé en Italie depuis la fin de la guerre a été contrôlé et trafiqué par ces putains de services. Alors maintenant, tu veux savoir ce que je pense de tes expertises à la con, hein ?

– Capitaine... vous me prenez pour un idiot ? Quelle raison auraient eue vos services secrets de dépister, comme vous dites, cette histoire de Monstre ? À part pour protéger quelqu'un ?

Jacopo se frotta les mains comme s'il voulait les laver. Son mal de crâne s'intensifiait. Ces mômes vivaient dans un pays qu'ils croyaient aussi récent qu'eux. Alors que la réalité du quotidien découlait de ce qu'on cachait encore et toujours sous l'image d'une nation moderne, intégrée à l'échelle européenne. Il suffisait, pour s'en convaincre, de penser à Matteo Renzi, le plus jeune dirigeant des pays occidentaux. Dynamique, de gauche, beau garçon, beau parleur. Marrant, il n'y croyait pas une seconde, à ce type. La grenouille qui enfle pour se faire aussi grosse que le bœuf. Il souffla. Reprit :

– Je le sais bien, Nino, que c'est différent aujourd'hui. C'est une Italie où les filles ne s'appellent plus Maria ou Silvia, mais Jessica et Samantha. Ou Amber et Tiffany, tiens.

– Je ne vois pas…

– Hé, Nino. Ça te plairait de t'appeler Kevin ?

– Pourquoi pas ?

– Fais-moi confiance, Kevin. Laisse tomber.

– Et les roses rouges sur la tombe d'Irina, capitaine ? J'ai suivi la piste, maintenant on ne me laissera plus revenir en arrière.

– Quelqu'un t'a menacé ?

– C'est pas ça. Je vous explique. Quand on tue quelqu'un, surtout une jeune femme ou un enfant, on ouvre une porte dans l'invisible qui permet au mal de s'introduire dans notre monde et…

– C'est du délire, Nino ! C'est tes jeux vidéo à la con ! Tu t'es grillé les neurones à force !

– Capitaine ! Capitaine… Écoutez-moi. Les deux séries de crimes, celle du Monstre et celle-ci, sont connectées. J'ai fouillé partout, absolument partout, à la recherche d'un lien possible, parce que c'est ça qui va nous sauver… Et d'ailleurs le mouchoir…

– Quel mouchoir ?

– Le mouchoir ensanglanté qu'on a ramassé sur le lieu du dernier double meurtre du Monstre, celui des Français, en 1985. Le groupe sanguin, B, ne correspondait pas à ceux des victimes. Ni à ceux de Pacciani ou de ses copains. À l'époque on ne pouvait pas l'analyser, mais aujourd'hui, si. Confronter les traces d'ADN d'alors avec celles des crimes actuels, c'est un jeu d'enfants. C'est ça le lien, c'est ça, capitaine.

– Et où est-il, ce mouchoir ? Pourquoi tu ne m'en as pas parlé avant, bougre d'âne ?

– Capitaine… Il a disparu.

Légion

20 juin. Solstice d'été. Le premier fut retrouvé à Mosciano di Scandicci sous un cyprès frappé par la foudre, squelette d'arbre dont seule l'armature subsistait. Sur ce chemin de terre blanche le tronc nu jetait le soir venu son ombre inquiétante. Le joggeur qui découvrit le cadavre n'avait pas son portable. Il lui fallut attendre d'être revenu chez lui sur des jambes en coton pour appeler le 112. L'homme s'était pendu à une branche basse du cyprès avec sa ceinture : ce qu'on appelle un suicide à genoux. Il s'agissait d'Aldo Chiari, un boucher de Florence qui avait un commerce réputé pour la qualité de ses produits. Trente-huit ans, marié, deux enfants de neuf et dix ans.

Le deuxième, Giuseppe Vito, trente-deux ans, célibataire sans enfant, vivait seul d'une modeste pension d'invalidité partielle. Il fut repéré au borgo San Lorenzo, au bord de la rivière Sieve, par un retraité qui allait couper de la luzerne pour ses lapins. Il avait fait une overdose médicamenteuse.

Le troisième, Alfonso Porciatti, était couché sur le sol, à Boschetta di Vicchio. Près de lui, cachées dans les hautes herbes, se dressaient les deux croix en bois vermoulues qui marquaient l'emplacement où deux jeunes gens avaient été tués par le Monstre en 1984. C'était un fleuriste de vingt-cinq ans connu pour ses fréquentations dans le milieu homosexuel. Il s'était ouvert les veines. Ses connaissances rapportèrent aux enquêteurs qu'il était déprimé suite à une rupture amoureuse.

Le quatrième, Mario Morosi, un plombier de quarante ans, voyageait beaucoup dans la région. Sa clientèle féminine ne jurait que par lui. Son épouse, une Estonienne de vingt-trois ans, venait de le quitter, emmenant leur bébé de quinze mois. Suicide par défenestration dans sa maison de Baccaiano. Le plombier avait dû regretter sa décision à la dernière seconde car il était resté accroché à la rambarde en hurlant. Pas assez longtemps pour être secouru.

Le cinquième, Rosso De' Ducci, était un agent immobilier. Trente-six ans, veuf, sans enfant. Son corps gisait sur un chemin de halage de Calenzano. Un coup de pistolet au cœur. Il était en costume, chemise repassée, cravate et pochette coordonnées. Son agenda indiquait son dernier rendez-vous, juste avant l'heure supposée de sa mort. Le reste de la journée était vierge.

La sixième, sans documents sur elle, était allongée à l'ombre du muret de pierres qui longe la via degli Scopeti, à San Casciano, au pied d'un autel dédié à la Vierge au cœur transpercé par des épées, pleurant des larmes de sang. Sur le visage de la jeune fille – vingt ans, tout au plus – on avait souligné bouche et sourcils au crayon doré. Des colliers de perles étaient mêlés à ses longs cheveux blond vénitien. Aucune plaie visible sur son corps. Elle était morte depuis vingt-quatre heures au moins, mais on l'aurait crue endormie. Elle restait exceptionnellement jolie. Avait-elle été conservée dans un lieu frais, et balancée là au crépuscule ?

Lorsque Jacopo demanda à ses collègues s'ils avaient remarqué la présence de fleurs, plus particulièrement de roses, près des corps, on le regarda bizarrement.

– Vous ne trouvez pas que ce pauvre capitaine D'Orto bat un peu la campagne, dernièrement ?

Légion

La Vierge noire s'approcha de saint Bernard de Clairvaux, tandis qu'épuisé par les méditations et les jeûnes il se prosternait dans l'église de Saint-Vorles et, sortant de son corsage un sein qu'elle pressa sur ses lèvres, elle l'abreuva de trois gouttes de lait. *Acte fondateur de l'ordre des Templiers, début de l'an 1000.*

Qui suis-je ? Je suis le Fils du Père et de Lucifer. L'Illuminé et la Tenebrae, le Vampire, le Reptile, le Mage. Azraël et la Mouche. Abaddon l'Exterminateur et Astarté, dieu hermaphrodite de l'amour. Je suis l'ange déchu du livre d'Hénoch. On parle de moi dans le *Necronomicon*, dans la Torah, les Évangiles et le Coran, on parle de moi en sanscrit et en araméen et dans toutes les langues mortes et dans toutes les langues vivantes, du cercle Arctique à la Terre de Feu. J'agis par le biais de sociétés secrètes, pour ne pas être gêné par les gouvernements souverains qui sans cela s'y opposeraient.

Ces sociétés sont divisées en groupes distincts, parfois même en opposition apparente : elles professent des opinions aptes à guider partis religieux, politiques, économiques et littéraires. Il n'y a pas de forces sur cette Terre que je ne contrôle, il n'y a que des cycles. Ma tâche n'est jamais parachevée car je suis obligé de tout changer en surface pour que rien ne change en profondeur. Je suis responsable des adeptes et de leurs actions, actions que le commun des mortels ne peut même pas envisager tant elles échappent à ce qu'on appelle la « morale commune ». Mais je viens de loin et j'ai tout enduré au cours des siècles, procès et répressions, torture et mort. Je m'y suis volontiers prêté, sacrifiant les meilleurs d'entre nous pour que d'autres continuent la mission. Les templiers, le Prieuré de Sion, la Golden Dawn, les rosicruciens censés être les gardiens du temple de Salomon, les esséniens dont le Christ fut le Grand Initié mort sur la Croix, ne sont qu'une coque vide, des noms qui naissent et meurent comme les hommes naissent et meurent. Une caste s'est formée au sein des ténèbres les plus denses, un groupe d'hommes qui reconnaissent leurs semblables sans jamais les avoir vus, et qui ont adopté l'obéissance aveugle des jésuites, le cérémonial des maçons, le cœur et les dons prophétiques des templiers.

Le monde a besoin de croire. Cela crée un espoir immense, et cela sert le secret. La maçonnerie sur laquelle les médias font régulièrement leur une n'est qu'un hobby pour entrepreneurs de province et professionnels de la politique, une pâle spéculation sur la légende. Le monde pullule de rosicruciens et de templaristes qui n'ont jamais bu à la source du savoir. Ces faux initiés sont perdus dans un labyrinthe. Mais nous, nous écrivons l'histoire. Et nous savons. Oui, le Saint Graal était le Sang royal, le fils du Christ que Marie Madeleine porta dans son sein, mais qui connaît la Vérité ? L'Église a sciemment substitué l'image de Marie de Nazareth à celle de Madeleine. Car Marie était blanche et Madeleine, noire.

Presque toutes les images de la Vierge noire ont été détruites. Seuls les gitans en ont préservé quelques-unes. Or les gitans sont un peuple sans terre et sans droits. Sans pouvoir et sans représentants. Qui les écoute ? Leur parole ne compte pas. La Vierge noire fut notre alliée dans la nuit des temps. Au final, les êtres n'ont pas plus d'importance qu'un grain de sable soufflé dans l'univers. La roue tourne. Nous tenons le sceptre et la boussole. Mais nous avons besoin du pouvoir de la Vierge noire pour gagner.

Qui suis-je ? Mon patronyme change
Mais dans toutes les langues mortes
Et dans toutes les langues vivantes
Toujours
On m'appelle Légion.

Miles

Florence, via dei Baldovini. Dans la chambre nue de Kadi, Miles avait posé sa tête sur les cuisses de l'Ivoirienne, qui lui caressait les cheveux. L'idole africaine contemplait de ses yeux brûlés les deux corps noirs noyés dans la blancheur des draps, cette femme et cet homme dans la tendresse et l'abandon d'une soirée d'été.

– Et donc, Kadi, tu ne l'as pas reconnu parmi les photos qu'on t'a montrées chez les carabiniers.

– Il ne faisait pas partie du casting des cintrés, non.

– Est-ce que ton pervers pourrait être le blondinet aux yeux bleus qu'on a remarqué à l'enterrement ? Celui qui avait une casquette de base-ball vissée sur le crâne ?

– T'en penses quoi, toi ?

– Il n'est pas revenu te voir.

– Non. Je te l'aurais dit.

– Il t'avait donné son prénom ?

– T'es marrant, p'tit frère. Pourquoi pas son nom de famille ? Je l'appelais mon mignon. Mon chou. Mon chéri. Comme tout le monde.

– Il ressemble à quoi ?

– Jeune. Vingt-cinq ans, par là. Pas vilain. Petite bourgeoisie. Pas marié ni maqué. Les femmes sont bêtes, mais pas à ce point. Tu comprends tout de suite qu'il est barjot, celui-là, quand tu l'as près de toi dans un lit. Bref. Des fringues propres, bien repassées. Chemise blanche, pantalon bleu, ce genre de vêtements. Vivant probablement avec une mère, une tante, une sœur. Boulot pépère, quelque chose de pas trop physique, il n'est pas très musclé. Technicien, informaticien, va savoir. Deux fois il m'a apporté des fleurs. Et toujours des bonnes manières, poli, courtois. Mais un truc pas net dans le regard.

– Tu ferais une bonne psy.

– C'est la moindre des choses, vu mon boulot.

– Ce que je veux dire, c'est que tu pourrais faire un autre travail.

– Et si je ne voulais pas ?

– Qu'est-ce qu'il fabriquait de si bizarre, ton Oxford, au lit ?

– Tu ne veux pas le savoir.

– Si.

– Il allumait plein de bougies noires dans la chambre. Laissait couler sa salive sur moi et me massait avec. Me masturbait avec un cierge allumé, dont il disait qu'il avait été béni. Le mettait dans ma bouche, et... enfin, partout. Ensuite il le léchait. Il psalmodiait des litanies dans une langue que je ne connais pas. Pendant tout ce temps il restait habillé. Lorsque le cierge était consumé...

– Oui ?

– Il était mûr. Il se branlait sur moi.

– Branlette participative... Un impuissant ? Il était violent ?

– Les autres filles m'ont dit qu'il laissait parfois couler la cire aux endroits où ça fait mal. Qu'il approchait trop la flamme ; certaines ont été brûlées. Moi, je gardais mon couteau à portée de main, sous le matelas.

– Ça ne lui est jamais arrivé de franchir la ligne rouge avec toi ?

– Une fois il m'a fait peur. Il s'est mis à brailler, « Que ton règne vienne, que ta volonté soit faite », mais je ne crois pas que c'était adressé à notre Père qui est aux cieux. Je me suis enfermée dans la salle de bains. La porte est blindée et il y a un téléphone dedans, c'est ma *panic room* pour me mettre à l'abri des fêlés. J'allais appeler à l'aide mais il s'était déjà calmé. Il m'a suppliée de lui pardonner, m'a promis que ça ne se reproduirait pas. M'a laissé cinq cents euros sur la table de nuit. Bon, ça suffit, parlons d'autre chose, tu veux ?

– De quoi ?

– Si tu m'en disais un peu plus sur toi ? Ta mère était blanche, non ?

– Qu'est-ce que tu en sais ?

– Tu es noir comme le péché, Sugar Man, mais tu ne t'y es jamais fait. Tu n'acceptes pas le nègre en toi, et tu te bats aussi contre le Blanc. Au fond de ton âme, tu n'es que rancune, besoin de revanche et orgueil mal placé. Et tu en veux à tous les deux.

Miles s'était levé pendant que l'Ivoirienne parlait. Maintenant, assis au pied du lit où Kadi était allongée, il mit la tête entre ses genoux et prit ses orteils dans les mains. Ils restèrent silencieux pendant qu'il considérait distraitement ses talons, la ligne rose où le noir de sa peau pâlissait.

– Je ne sais pas, Kadi. Je n'ai jamais beaucoup pensé à tout ça, à vrai dire.

– Ne mens pas. Je vois clair en toi. Tu es un nœud de vipères. Arrogance et complexe de supériorité.

– Ça suffit, ma belle. Tu fais fausse route.

– Jamais tu n'as entendu ce qu'on disait de ta mère ? La Louisiane, ce n'était pas New York.

– *Lovenigger.* Des gens ont écrit ça à la peinture rouge sur notre porte. À Monroe, où nous habitions. Et après ça, nous sommes allés vivre ailleurs. J'avais oublié.

– On oublie ce qui fait le plus mal. Mais on vit avec tous les jours. Tu n'as pas de frères et sœurs, n'est-ce pas ? Pas facile de remettre le couvert… Vous n'en avez jamais parlé à la maison ?

– C'était interdit, ce genre de discussion. On faisait comme si ça n'existait pas.

– Ils devaient arranger ça au lit. La ligne qui délimite les couleurs de peau n'a jamais été tracée dans une chambre à coucher. Et Indiana ?

– Indiana quoi ?

– Elle prend ça comment ? L'Italie, ce n'est pas New York non plus.

– Les jeunes n'ont pas les mêmes problèmes de nos jours, on dirait. Elle n'est pas dupe. Les compatissants, les partisans de la diversité exotique, les racistes embarrassés, ça la fait marrer. Les négresses n'ont pas de cellulite, dit-elle, et son vieux Black de papa est moins ridé qu'un Blanc de son âge. Ne rigole pas.

– Elle a raison.

– Enfin… Elle serait plutôt Black Power tendance fille des fleurs, Indie.

– Et côté petit ami ?

– Elle n'en a pas. C'est encore une gamine. Ce n'est pas une fugue amoureuse, si tu vas par là. Et elle m'aurait appelé depuis.

– Excuse-moi. Je vais te dire quelque chose qui risque de ne pas te plaire, mais je pense…

Kadi s'enroula plus étroitement dans son plaid. Les rideaux dansaient dans les courants d'air brûlants. Par les fenêtres ouvertes entraient des odeurs d'asphalte qui cloque dans la chaleur. D'ozone. L'orage grondait au loin, faisait vibrer les vitres et craquer le parquet.

– Je pense que tu as des secrets, reprit-elle. Est-ce qu'Indiana pourrait avoir découvert un passé dont tu ne lui aurais pas parlé ?

– Comment aurait-elle su quoi que ce soit ?

– Il y a donc des choses que tu lui caches, *brother.*

L'Ivoirienne se mit debout, déployant son corps. Le plaid tomba au sol. Ses pieds nus étaient des sculptures de vieil ivoire, aux ongles peints en argent. Ses chevilles entourées de liens en raphia, de rubans vert et or et de chaînettes tintaient doucement à chacun de ses mouvements. Elle dégageait une odeur de safran, de bois bandé, de pierre séchée au soleil.

– J'ai soif. Je vais nous faire une margarita. Viens dans la cuisine avec moi si tu veux.

– Tu sais, ma jolie, c'est épuisant d'être noir.

– Pourquoi tu me dis ça, là ?

– Ce matin lorsque je me suis brossé les dents j'ai regardé mon tube de dentifrice. Ça doit t'arriver de fixer quelque chose quand tu as la tête ailleurs, non ? Je n'avais jamais remarqué que j'utilise un truc où il y a marqué « *Stay White* ».

L'Ivoirienne rit. Un éclair suivi d'un coup de tonnerre creva le ciel. Le vent apporta l'odeur de la pluie. Mais il s'écoula encore un moment avant qu'elle n'arrive. Ensuite, ce fut le déluge.

H.S.

quand ils m'attraperont, ils me livreront aux lions. Ils me boucleront, me jetteront derrière les barreaux parce que je n'ai pas de famille, personne pour m'aider.

Mes frères Valentine Michael et Zadfrack C. sont les fils de Marie Madeleine, mais moi seul suis le fils de la Vierge. Il n'y a pas une Marie Madeleine, elle est deux. En elle est le Saint-Esprit, mais moi seul suis le Fils de Dieu. C'est dans l'ordre des choses, je serai sacrifié. Les dragons enroulent déjà leurs queues. L'homme noir doit payer. Son sang est impur, j'ai le front gravé de la croix de soleil qui le détruira. La femme noire doit payer. Elle se commet avec l'homme qui veut me briser. Tous prisonniers de leurs sens ! Je nettoierai le monde de leur puanteur. À travers moi leur destin s'accomplira. ILS NE ME CONNAISSENT PAS. *Je me demande ce qu'ils voient lorsqu'ils me regardent. Mais ils ne sont pas capables de discerner quoi que ce soit. Moi, si. Je décrypte leur peur derrière leurs paupières. Je la vois pulser dans les veines de leurs poignets. Ils sont terrorisés, car j'utilise leurs filles comme ils utilisent les femmes qu'ils convoitent. Ce sont des menteurs, leur instinct est le même que le mien. Mais ils ne veulent pas le reconnaître. Je sens l'odeur de sexe qui émane de leur peau. Leur lascivité. Ils croient qu'ils sont différents de moi. Vous ne savez rien. Chiens.*

Ils ont dit que père était né sous X. Ils ont dit qu'il était né d'une prostituée. La prison a été sa seule maison, mais les murs l'ont libéré. Mon père au visage d'ange. Mon pauvre père battu, violé, dévasté. Ses yeux rieurs, sa joie, sa gentillesse, sa bonté. Il aurait pu anéantir le monde s'il l'avait désiré, il lui aurait suffi de claquer des doigts. Père n'a pas tué. Hitler non plus, jamais. Il a donné les ordres, c'est tout. Et qu'ont fait d'autre Nixon, et les Bush, père et fils, et Thatcher ?

Mes frères, c'est la force de l'esprit qui vous sauve ou vous tue. Qu'avez-vous fait de votre libre arbitre ?

Je suis son Fils, la résurrection et la vie. Êtes-vous prêts à mourir pour moi ?

Nino

Le garçon courait. Les semelles de ses tennis claquaient sur le *lastricato* chaud. Le coup de fil, juste avant l'aube, l'avait réveillé. Son interlocuteur n'avait pas prononcé un mot. Le portable à la main, Nino ruisselait de sueur. Dans la rue, un poids lourd avait klaxonné sous sa fenêtre. Les éboueurs riaient. Puis les bruits dans la maison s'étaient amplifiés. Gouttes d'eau dans la baignoire. Ronronnement du réfrigérateur. Une marée noire l'avait submergé. Claquant des dents, paumes moites, il s'était habillé le plus vite possible. Dans la rue, il avait attendu que les éboueurs aient le dos tourné pour jeter son portable dans le camion-poubelle. Comme dans les films. C'était pourtant la seule manière de ne pas se faire repérer, car désormais la géolocalisation est à la portée de n'importe quelle épouse éperdue de jalousie.

Ces derniers temps, Nino avait oublié ce qu'était la peur. Il s'était senti invincible, lui, le gamin perdu après la mort de ses parents, le gosse sans copains, le délaissé. Qui s'était refugié dans les jeux vidéo à en perdre le boire et le manger. Qui avait dépiauté les ordinateurs dénichés dans les décharges jusqu'à comprendre comment ça marchait. À l'école on avait commencé à le respecter. À rechercher son amitié. Mais il n'avait plus besoin de personne. Il s'était fabriqué un environnement dans lequel il était le plus fort. Son univers tournait autour de *Mortal Kombat* et de *Carmageddon*, de déesses aux seins pointus et de démons aux gueules d'enfer. De carnages en 3D et d'ultimes paradis. Et un jour il avait trouvé sa communauté d'esprit : LA ROSE ROUGE l'attendait sur le forum très privé dont il avait craqué les codes cryptés. La fin du monde connu était proche. Un nouvel ordre allait être créé. Ceux qui seraient sauvés devraient le mériter.

On lui avait donné un premier rendez-vous, ses fantasmes les plus fous devenant réalité. Il en était sorti transformé. Un autre rendez-vous avait suivi, et encore un autre, de plus en plus rapprochés. Jamais il n'avait vu le visage de ses récents amis. Il était le seul à découvert. Ce n'était que lors de la cérémonie consacrée qu'il avait revêtu ses nouveaux habits. Tout était allé très vite après. On l'avait adoubé : Nino faisait désormais partie de l'élite. La jouissance avait pris le pas sur la pitié. Le sentiment d'invulnérabilité sur la prudence. On l'admirait. On l'aimait. Mais pour faire partie du groupe, il fallait obéir. Alors il obéissait. Et il savait. Même ce qu'il aurait aimé continuer d'ignorer : on ne pouvait pas en sortir. Il avait voulu posséder la connaissance, et il s'apercevait que c'était la connaissance qui le possédait. Un pacte, un engagement sans retour. Rien ne pouvait défaire ce qui avait été fait. Rien ne pouvait refaire ce qui avait été défait. La lumière était l'ombre, et l'ombre la lumière. Le carré le lui avait appris :

SATOR
AREPO
TENET
OPERA
ROTAS

Les vibrations du SATOR l'avaient baigné et le voile qui cachait le monde s'était déchiré. O PATER, ORES, PRO AETATE NOSTRA, « Mon Père, prie pour notre ère », n'est que l'oraison inversée SATAN, ORO TE, PRO ARTE A TE SPERO, « Satan, c'est toi que j'adore, mon salut est dans tes œuvres ». Tout était pardonné. Tout était excusé, car le bien et le mal sont LA MÊME CHOSE. Le Monstre, c'est celui qui t'attaque, sans concevoir que tu es aussi nécessaire que lui. Il ne comprend pas qu'en te combattant il se combat lui-même. Qu'en te détruisant il se détruit. Maria-Suzana, son amoureuse, avait perçu le changement qui s'était opéré en lui. « Tu verras, *amore,* mourir est simple, un abandon, un repos. Une pente enneigée. » Mais quand Maria-Suzana avait été sacrifiée, son cœur avait dit non. Non, la mort et la vie ne sont pas la même chose, même si elles avancent bras dessus, bras dessous. Il aurait donné n'importe quoi pour retrouver son existence d'avant. L'ignorance. L'innocence. La virginité. Maria-Suzana était une gitane. Une fille rencontrée à un coin de rue. Sans état civil. Personne ne saurait jamais qui elle était, d'où elle venait, personne ne la rechercherait maintenant qu'elle était morte. Il avait tellement honte. Il avait tant de peine. Pour elle. Pour lui.

La Rose rouge pouvait aller se faire voir. Il l'avait semée. Il ne faisait plus confiance aux puces, aux ordinateurs, au virtuel. Une feuille de papier, un crayon ne peuvent pas être tracés. Il était parti à pied. Il courait vite. Il se méfiait désormais. Mais il ressemblait à un garçon comme tant d'autres en cette journée de juin. Personne ne pouvait savoir où il allait. Il s'était caché dans l'Orto Botanico, recroquevillé au creux d'un chêne. Entre les racines. Les arbres le protégeaient. La voûte verte frissonnait au soleil. Les feuilles vibraient, les fleurs s'épanouissaient. Le monde renaissait pareil à lui-même, en ce premier jour d'une ère qui s'ouvrait. Il avait confiance, tout finirait par s'arranger. Mais avant, il faudrait faire tomber les responsables. Témoigner, démontrer. Il avait joué au con avec son supérieur – avec qui n'avait-il pas joué au con, d'ailleurs, à commencer par lui-même –, mais il était sûr que le capitaine l'aiderait. Il avait cru qu'il saurait comprendre à demi-mot, qu'il suivrait les pistes qu'il lui laissait entrevoir, mais non. Il avait avoué sa peur, pourtant le capitaine n'avait pas compris. Ce ne serait pas chose facile de lui faire accepter la vérité. Il lui faudrait être pragmatique, ne pas compromettre ses chances d'être cru. Et réfléchissant au moyen d'être le plus efficace possible, il achoppait toujours sur l'impossibilité de dénoncer l'identité du Maître. Il l'ignorait, comme il avait ignoré les noms des autres adeptes, dont il n'avait vu les visages qu'une fois morts. Comme cela était étrange ! Il ne les connaissait qu'enveloppés de leur cape de mystère, et pour lui ils étaient des super héros, alors qu'il ne s'agissait en réalité que de bouchers, d'agents immobiliers, de retraités, de plombiers ! Une farce, mais une tragédie aussi. Car Maria-Suzana était morte à cause de lui, à sa place en quelque sorte. Il l'avait laissée mourir pour sauver sa peau. Non, il fallait dire les choses clairement, être sincère vis-à-vis de lui-même : il l'avait carrément offerte au Maître en échange de sa survie. Une survie provisoire, il s'en rendait compte, mais le Maître était à la recherche d'une pièce manquante, et n'avait pas pu résister devant Maria-Suzana.

Qu'avait-il à donner maintenant au capitaine ? Il savait des choses. Car, s'il avait été manipulé, jamais il n'avait cessé de manœuvrer de son côté. Tous ces trucs qu'il avait découverts, apparemment sans lien entre eux, et pourtant. La Vierge noire, bien sûr, mais aussi Helter Skelter. Ils venaient tous du même abîme. Il avait jumelé l'iPhone qui s'était trouvé un jour à sa disposition. Il avait copié des fichiers. Le contenu de la messagerie. Tout en vrac, il n'avait pas eu le temps de les ranger ni de les étudier. Mais la chose la plus importante : il connaissait le nid de l'araignée. Là où la Bête avait pondu ses œufs. Il avait suivi le Maître ce jour-là… Ce jour où… Ne pas y penser, ne pas y penser. Avec l'aide du capitaine, oui, avec son aide… il…

Nino s'était endormi, bras autour du torse, tête sur l'épaule, un tout petit enfant à l'ombre d'un arbre de conte de fées. Le gardien du jardin botanique l'avait réveillé après la fermeture. D'un bond il s'était remis sur pied, avait repris sa course.

Piazzale Michelangiolo, avec la réplique en bronze du *David* et la Ferrari louée cent euros les dix minutes aux touristes adeptes du selfie. Avec au fond ce beau café ancien, l'air sorti d'un film des années 1950, où les soirs d'été un crooner vieillissant chantait des romances aux dames anglaises. Parmi tous ces gens venus chercher l'âme de Florence, un garçon comme les autres. *Pas peur, pas peur.* Il s'arrêta devant le kiosque qui restait ouvert une partie de la nuit, commanda un Coca avec glaçons, puis un autre. Le bonhomme derrière sa guérite avait l'air d'un ancien hippie, avec ses dreadlocks et sa chemise safran. Au moment où Nino terminait son second Coca, une femme avait rejoint le type dans le kiosque. Longs cheveux teints au henné et tunique rouge, elle le dévisagea avec ce qui lui sembla être de la compassion. Les deux s'embrassèrent, un long baiser langoureux qu'il trouva incongru. Ils auraient pu être ses parents. Le même âge, s'ils avaient vécu. Ces gens évoluaient dans un autre espace-temps. Ou alors c'était lui. Un garçon de vingt-cinq ans qui faisait moins que son âge, épuisé, assoiffé, terrifié. Un garçon qui s'était cru le maître du monde et n'était qu'un morveux victime de ses complexes et de ses frayeurs.

Il se souvint de la première réunion. Ils étaient allés dans cette maison là-haut, au bout de ce vieux monastère, guidés par l'un des adeptes. À coup sûr, l'agent immobilier, pensa-t-il *a posteriori*. Ils avaient déposé une pierre grise dans la cave voûtée, un pavé carré avec le palindrome de la Vierge noire. Comment était-ce, déjà ?

N I G E R
I N A R E
G A L A G
E R A N I
R E G I N

Il serra sa feuille de papier et son crayon dans sa poche. Prendre des notes. Faire la connexion entre la Rose rouge, la Vierge noire et le tableau du *Printemps* de Botticelli. Pas simple. Et pourtant… Il aurait fallu qu'il s'arrête, qu'il ajoute les détails susceptibles d'être utiles au capitaine, pour être clair, ça allait être coton de se souvenir de tout alors que sa tête lui semblait totalement vide, mais non, il n'avait pas le temps, l'haleine de la Bête lui chatouillait la nuque.

Et il recommença à courir.

Monter jusqu'à San Miniato. Redescendre de l'autre côté, jusqu'à la Villa Selvaggia. Laisser la route, privilégier les sentiers. Le capitaine était le seul en qui il pouvait avoir confiance. Le père qui lui avait tant manqué. Nino glissa sur les fesses en dégringolant la pente trop vite. La chapelle décrépite était en vue. Il se remit debout, dévala le reste du chemin en sautant de pierre en pierre sur les marches à demi éboulées. À cette heure-ci, le capitaine serait chez lui. Il était sauvé.

Jacopo

Florence, hôpital Santa Maria Nuova. Assis sur des chaises en plastique blanc sale dans une pièce blanc sale, le capitaine se tordait les mains tandis que Bella réprimait une folle envie de sortir fumer une cigarette. Elle avait accouru lorsqu'il l'avait appelée auprès de lui. Se demandant quand même à quel point il devait se sentir seul pour se tourner vers elle à un moment pareil.

Elle posa une main sur les siennes pour qu'il arrête d'arracher une petite peau sur son pouce en sang :

– Il n'a pas repris connaissance, grand chef ?

– C'est un miracle que Nino soit toujours en vie, Bel. Sept coups de couteau, dont l'un a perforé un poumon, passant à un centimètre du cœur. Et j'ai comme l'impression qu'on va découvrir que c'est la même arme blanche que pour les autres. Mais bon. C'est à vous, je veux dire au labo, de jouer.

– On a une idée de ce qui s'est passé ? De ce qu'il foutait devant chez toi ?

– Aucune. Une voisine a appelé le 112. L'agresseur était grand, petit, chauve, chevelu. Il n'y a pas plus trompeur qu'un témoin oculaire, comme on dit. Mais bon, la vieille taupe ne reconnaîtrait pas son petit-fils à trois mètres. Qu'est-ce que vous avez d'autre sur les suicidés ? Dont tous les portables, entre parenthèses, ont disparu. Comme celui de Nino. On a l'un de ses ordinateurs au bureau, heureusement. C'est vrai que le gosse a toujours été notre meilleur geek, et toutes ses informations sont cryptées. On va être obligés de faire appel à un technicien extérieur, hacker sur les bords. Mais un peu de patience et on y verra plus clair.

Le capitaine mit trois doigts sur son front, lissant ses rides et ses sourcils broussailleux. Il regarda Bella qui, en jean et chemise blanche, avait l'air d'une étudiante chic. Dieu seul savait comment elle s'y prenait pour être aussi hautaine sans être détestable. Il soupira :

– Alors, chez vous ça donne quoi ?

– ADN. Fibres, cheveux. Sang. Que veux-tu qu'on fasse d'autre ? On s'y est tous mis au labo, en laissant de côté le reste. Et la dernière fille ?

– Pas de papiers. Aucune fiche ne correspond à son profil. Peut-être que son entourage n'a pas encore signalé sa disparition, va savoir.

– Est-ce que tu as déjà vu un merdier pareil, grand chef ? Ça n'est jamais arrivé qu'en quarante-huit heures on croule sous autant de boulot. Je ne sais pas comment je tiens encore debout.

– Ouais. On est logés à la même enseigne. Mattotti m'a fait venir dans son bureau. Il s'était fait la réflexion – tu parles d'une découverte ! – que tous les suicidés, plus la fille, ont été retrouvés aux endroits où le Monstre avait tué les jeunes gens il y a trente ans. Il manque Signa, où le premier assassinat a été commis. Les lieux sont sous surveillance. Mais j'ai comme l'impression que ça s'arrête là.

– Oh merde ! Les journalistes savent ?

– C'est des gorets, ils adorent ce qui pue. Ça va aller aussi vite qu'un pet qui brûle.

– Charmant. Des nouvelles sur la disparition d'Indiana Lemoine ?

– C'est à moi que tu demandes ça ? Ton copain prof ne te tient pas au courant ?

– Est-ce qu'on est vraiment en train d'avoir cette conversation ou je rêve ?

– Holà. Du calme. C'est vous, au labo, qui avez fait les prélèvements sur la Vespa de la petite Lemoine.

– Je te préviens, Jacopo. Tourne ta langue sept fois dans la bouche avant de…

– Si le prof a quelque chose à se reprocher, faire en sorte qu'on récupère la Vespa de sa fille à l'endroit où le corps de Donati a été découvert…

– Tu sais quoi ? J'ai du boulot. Salut.

– Mon homme, le plus jeune de la brigade, est dans le coma, Bel. Alors tu ne me fais pas la tête, s'il te plaît. Et tu viens dîner chez nous ce soir.

– Tu crois que j'ai le temps ?

– C'est non ?

– Une autre fois.

– Une autre fois.

Jacopo

C'était ce que Jacopo aimait le plus, la pluie. Pendant la soirée, l'orage avait balayé la ville ; les éclairs s'étaient succédé, crépitements suivis de coups de tonnerre, sol vibrant sous les pieds. L'eau tombait du ciel avec rage. *Colère et punition.* Le capitaine avait traversé le centre historique en voiture. Personne dans les rues, cafés et restaurants déserts, feux clignotants aux croisements, et ce grondement qui faisait écho à la tempête, un ronflement qui semblait venir du centre de la Terre. Comme si la ville elle-même était un fauve en cage. Vers minuit une panne d'électricité rendit Florence à son passé. Elle redevint cette forteresse hostile qu'elle avait été du temps des guelfes et des gibelins, une cité médiévale en noir et blanc.

Une inquiétude euphorique mena le capitaine, par le *viale* sinueux bordé d'arbres centenaires et d'admirables villas, jusqu'au piazzale Michelangiolo. C'était juste derrière chez lui, à trois cents mètres à peine à vol d'oiseau de la Villa Selvaggia. Mais la vue n'était pas du tout la même. Florence était couchée à ses pieds. En face, Fiesole se noyait dans la brume. Son regard se promena des murs de l'Oltrarno au Forte Belvedere, sur le Ponte alle Grazie jusqu'à celui de Santa Trínità, sur le Duomo et sur la coupole de Brunelleschi, sur le Palazzo Vecchio et la Badia Fiorentina. Les Appenins et le mont Morello se devinaient à peine. Les dorures des églises chatoyaient dans les rafales qui fouettaient les vieux murs et transformaient l'Arno en torrent furieux. L'histoire de la ville était ponctuée par ses crues. Celle de 1333 avait été la plus catastrophique : tous les ponts, excepté un, avaient été emportés. Même le Ponte Vecchio – que Jacopo voyait mal à travers l'ondée – n'avait été reconstruit que quelques années après. C'était à cette occasion, s'il s'en souvenait bien, que la statue de Mars, citée par Dante dans *La Divine Comédie*, avait été perdue. Et les Florentins avaient attendu que la prophétie se réalise : peu après, la peste noire avait réduit la population de deux tiers. Les crues de 1557 et de 1844 avaient aussi laissé leur marque sur les murs de la ville : des lignes sombres qui s'inscrivaient dans les palais, et que tout Florentin reconnaissait sans se tromper. La dernière fois, en 1966, l'Arno n'était pas encore rentré dans son lit que les « anges de la boue », une cohorte de jeunes gens venus du monde entier, avaient débarqué et tout astiqué dans les moindres recoins.

Du haut du piazzale Michelangiolo, trempé de la tête aux pieds, tremblant de froid, Jacopo se shootait à l'apocalypse d'une ville pas comme les autres. Une ville à rhizomes, comme les racines de son emblème floral, l'*Iris pallida*. Une ville à rhizomes, comme le mal qui renaissait régulièrement dans ses entrailles. Mais une ville qui avait imposé la langue toscane à l'Italie entière. À travers le rideau de pluie, Jacopo pouvait percevoir dans le lointain l'église de Santa Maria Nuova où reposaient les restes de Beatrice Portinari, jeune fille aimée par Dante, le père de la langue italienne. L'un des grands initiés de l'histoire, un *Fedele d'Amore*, fidèle d'amour, « L'image de Dieu, c'est la Vierge mâle », et allez savoir ce que ça signifiait, tout ce dont le capitaine se souvenait pour l'avoir lu quelque part, c'était que cet ordre ancien dont Raffaello et Novalis avaient aussi été membres recherchait un idéal dont il ne se sentait pas digne, la pureté du cœur et de l'esprit.

Un peu après minuit, le labo lui confirma que les ADN des « suicidés » correspondaient à cent pour cent avec les traces prélevées sur le corps d'Irina. Ainsi que celui de Nino. Le Capitaine avala un bol de salive amère, demanda à son interlocuteur de répéter. Oui, l'ADN de l'*appuntato* Nino D'Angelo avait bien été identifié sur le cadavre d'Irina Radic. Jacopo eut envie de balancer son téléphone. Les yeux du jeune homme, quand il l'avait vu à l'hôpital – « Deux minutes, capitaine. Il ne faut pas le fatiguer » – papillotaient. Des fenêtres ouvertes sur un ciel bleu. Et lui était resté là, la main de Nino dans les siennes, lui murmurant de tenir le coup. « Ça va bien se passer. Tu vas y arriver, gamin. » Des mots qui ne voulaient rien dire. Inutiles. Comme lui.

Vers 1 heure du matin l'orage se calma, mais Jacopo, rentré chez lui, ne put dormir. Depuis plusieurs jours, il s'était cramponné à la décision de ne plus approcher Kadi. Pourtant il se leva, se rhabilla, ressortit la voiture du garage et alla rôder sous ses fenêtres. Ce n'était pas loin de la Villa Selvaggia, la via dei Baldovini. Juste au bas de la colline, à l'entrée de Florence. Les lumières dans l'appartement de la jeune femme étaient allumées. Il se gara, se demandant s'il aurait le courage de lui faire signe et la force de ne pas le faire. Il tâtait encore le portable dans sa poche lorsqu'il vit le professeur sortir du vieux *palazzo* où elle habitait. Miles se mit à marcher, et le capitaine le suivit à bonne distance, feux éteints. Lorsque le prof monta dans sa voiture, il continua sa filature. Ils longèrent l'Arno. Laissèrent sur leur droite un ou deux villages assoupis. Quand ils attaquèrent la colline, un animal traversa la route devant le capitaine en trottant. Pris dans les phares, le sanglier s'arrêta et le fixa. C'était un mâle, de ceux que l'on appelle « solitaires ». Il paraissait épuisé. Il s'assit sur son derrière et détourna les yeux, comme s'il étudiait la possibilité de retourner sans attendre dans la forêt. Jacopo ne se décidait ni à klaxonner ni à descendre de voiture. Il ne voulait pas risquer d'alerter le professeur, mais ne voulait pas non plus perdre sa trace. Il fit ronronner le moteur en appuyant sur l'accélérateur. Le sanglier se leva pesamment, parcourut les quelques mètres qui le séparaient des fourrés, de l'autre côté de la route. Non sans lui avoir lancé un dernier regard lourd de reproches. Jacopo redémarra. Il mit le chauffage à fond. Il était glacé.

Miles

Couvent de Tosina. *Nothing is never over.* Nonnie meurt encore. Et encore. Je n'ai jamais raconté à personne ce que j'ai confié à Kadi ce soir. Chez elle. Seul endroit où l'absence de ma fille ne me tue pas. Où j'arrive encore à respirer.

Sienna et moi, nous nous voyions depuis trois mois. Au lieu de diminuer, ma passion pour elle s'exacerbait. J'étais comme un môme auquel on a donné une boîte de crayons de couleur, j'en mettais partout. Dès que je le pouvais, je m'échappais de la fac. On se sautait dessus dans tous les lieux où il était possible de le faire, et même où ça ne l'était pas. Les cabines publiques, les coins de rue sombres, les chambres de motel quand on avait deux heures devant nous. Elle négligeait ses études et son travail, je n'en avais plus rien à foutre du mien. Tout ce qui n'était pas elle me plongeait dans le manque. J'étais irritable à la maison, perdu dans mes pensées, jamais disponible pour Nonnie et Indiana. J'avais peur que ça se voie, que ça se sente surtout, j'avais interdit à Sienna d'utiliser de l'eau de toilette et même du savon parfumé, mais je prenais des douches sans arrêt, parce que son odeur m'imprégnait. On baisait dans mon bureau, ou dans les bureaux que mes collègues ne fermaient pas à clé lorsque se voir dans le mien devint délicat. On le fit dans les cuisines du self une fois. Dans les vestiaires du gymnase une autre. Sienna en avait autant envie que moi. Ses culottes passaient plus de temps dans ses poches que sur ses fesses. Je n'étais bien que lorsque j'étais fourré entre ses cuisses, mais ça ne me suffisait pas. Quand j'y repense, j'ai l'impression qu'il faisait toujours trop chaud à cette époque-là. Nous dégoulinions dans nos vêtements. Je ne sais pas si nous parlions beaucoup, je ne crois pas. La mémoire du désir est étrange : on se rappelle tout ce qu'on a fait, mais on ne se souvient plus pourquoi.

Et puis ce qui devait arriver est arrivé. Nonnie a frappé un soir à la porte de mon bureau, est entrée sans attendre. Ce n'était pas fermé à clé. Sienna était étendue sur ma table de travail. Je faisais glisser sa culotte avec les dents, pantalon baissé. Nous sommes restés tous les trois sans bouger. Dehors, des jeunes gens riaient. Par la fenêtre ouverte entrait un souffle embrasé qui soulevait les pages d'un volume tombé par terre. Le ciel se teintait de rose, c'était l'heure parfaite, entre chien et loup.

L'odeur qui montait du corps de Sienna était si puissante que ça piquait les yeux. Qui de nous trois s'est réveillé le premier ? Je sais que Nonnie est partie sans faire de bruit. Sienna s'était déjà rhabillée. La porte s'est refermée derrière elle. Je suis resté seul dans la pièce. J'ai cherché à tâtons mes lunettes. Elles étaient sur ma tête. J'ai remonté mon pantalon, me suis assis derrière le bureau et j'ai ramassé le livre tombé. C'étaient des poèmes de Yeats, « *I hear the Shadowy Horses, their long manes a-shake, Their hoofs heavy with tumult, their eyes glimmering white* ». J'ai relu la page mais impossible de savoir ce que ça disait. J'ai posé l'ouvrage devant moi et scruté le mur. Je n'arrivais à penser à rien d'autre qu'à ce poème étrange, que je trouvais beau parce qu'il demeurait obscur. Il y avait une tache, une virgule rouge, là où Sienna avait posé les mains un jour où nous faisions l'amour debout. Ce n'était pas du sang, juste du vernis à ongles. J'ignore combien de temps je suis resté là, mais quand je suis sorti, le campus était désert. Ténèbres et obscurité. La folie. Tout était pareil. Tout avait changé.

J'interroge les souvenirs au cours de mes nuits blanches. Jamais je ne parviens à remettre les événements dans l'ordre, et je me dis que si j'arrive à comprendre à quel moment ça a basculé, peut-être que je remonterai le cours du temps. Peut-être qu'il ne sera pas trop tard. Mais au fond de moi je sais. Je sais que Nonnie a commencé à mourir quand elle est entrée dans mon bureau. Quand elle m'a vu penché sur Sienna. Quand elle a senti que tout ce qu'on avait vécu ensemble, les promesses et les serments, les projets et les mots d'amour, notre mariage et la naissance d'Indiana, c'était déjà du passé. Elle a ouvert la porte, et notre vie s'est refermée. Comme Barbe-Bleue, on ne fait pas mieux.

Je n'avais pas le courage de revenir à la maison. J'ai erré en voiture pendant des heures sans rien comprendre à l'homme que j'étais. Pour Sienna, j'étais prêt à tout. À foutre en l'air mon existence, ne voir Indiana qu'un week-end sur deux. Cependant, je n'étais pas amoureux. Pas comme je l'avais été de Nonnie, comme je l'étais encore d'une certaine manière.

Je flanquais tout en l'air pour une fille avec laquelle je n'avais jamais discuté. Est-ce que Sienna était républicaine ou démocrate ? Non que ça ait eu de l'importance. Peut-être ne le savait-elle pas non plus.

Je m'étais arrêté là dans mes aveux à Kadi ce soir-là. Je venais de rentrer chez moi lorsque Bella a appelé. Pendant que je répondais au téléphone, Furia s'est mis à aboyer, se jetant contre la porte de tout son corps, poils de la nuque hérissés.

On se garde du feu pendant des années, puis la foudre éclate et on ne maîtrise plus l'incendie. On redevient ce qu'on a toujours été.

Ma nuit était loin d'être terminée.

Jacopo

Couvent de Tosina. Nuit caressée, brouillard lacéré, vignes et cyprès estompés, duvets vert irisé.

Jacopo tomba, fauché comme l'herbe dans le pré. Sa tête percuta le capot de la voiture, son menton cogna le rétroviseur. Le type derrière lui l'attrapa par les cheveux, le flanqua à genoux. Vertèbres qui craquent. Un truc froid lui effleura le cou, mots décousus à son oreille, souffle court. La nuque du capitaine appuyait sur le bas-ventre de son assaillant : le type bandait. Il réprima une envie de dégueuler, inspira à fond, les narines emplies d'une odeur de sperme séché. De laitance de crustacé. La lame large de trois doigts se promenait sur sa jugulaire, le genre de coutelas avec lequel les chasseurs égorgent les sangliers. Du tranchant, le type caressa ses tétons qui durcirent. Murmurant toujours tandis qu'il entaillait la peau sous sa pomme d'Adam. Jacopo envoya son coude en arrière, mais il bougeait sous l'eau. Il ne réussit qu'à se déséquilibrer. Rire bas, jubilation, murmures encore. « Je vais te niquer, capitaine. Tu vas adorer. »

Le sang s'égoutta sur son cou hérissé de chair de poule, coula sur sa poitrine puis sur la chemise qui l'absorba. Jacopo vit ses filles comme s'il les avait devant lui, Anna abasourdie, Lucia et Tosca qui criaient. Il se souvint de tous les poissons qu'il avait saignés. Il avait tout foiré, même cette dernière filature, et maintenant il allait mourir comme un con sans rien avoir compris à la vie. Il ne s'était pas assez méfié de ce salopard, pourtant il aurait dû, tout concordait, ses états de service militaires et le reste, sa fille disparue, sa morgue, ses provocations, il en avait tellement honte à genoux sur des cailloux, ah oui, on allait se marrer, pauvre capitaine D'Orto, il ne lui restait que quatre ans à tirer avant d'aller se faire bronzer au bord de la Méditerranée, il n'avait jamais brillé dans le métier, droit et honnête mais pas malin, paix à son âme, c'est la faute à pas de chance, il est mort comment ? zigouillé par un barjot, on sait qui c'est mais on n'a jamais pu mettre la main dessus, Anna hurlait maintenant, Lucia et Tosca sanglotaient, puis un chien aboya, une voiture approchait, l'agresseur lâcha prise et Jacopo s'affala, nez écrasé au sol, et les étoiles se mirent à tournoyer, tombées une à une du ciel, et la nuit devint plus noire et il ne sut plus rien.

Miles

Couvent de Tosina. Petit matin. Bella venait de refermer la porte de la maison du professeur lorsqu'elle se mit à crier. Miles sortit en courant, le châle d'Indiana autour des hanches. Accroupie près du capitaine, Bel pressait ses mains autour de son cou : le sang sourdait au rythme des pulsations du cœur en bulles lentes, hypnotiques. D'Orto avait rampé sur une vingtaine de mètres, s'extirpant de la tache d'ombre où il était tombé jusqu'au halo de clarté sous le réverbère. Maintenant il gisait inconscient au beau milieu de la cour, yeux révulsés recouverts d'une taie. Miles marcha pieds nus dans une traînée visqueuse, noire dans la lumière du petit matin. Il prit la relève, rapprocha les pourtours de la plaie bord contre bord. Mains poisseuses, doigts gluants sur les touches, Bella appela le 112 sans cesser de trembler.

Après leur départ, sirènes hurlantes tampons ensanglantés braillements des habitants des fermes voisines brutalement réveillés, Bella dans l'ambulance avec le capitaine, Miles revint dans la chambre. Lit défait, draps tombés à terre. Une bouteille d'eau vide, des mégots dans une coupelle, la montre que Bella avait oubliée sur la table de nuit, tout était encore là. Il enfila un short et des baskets. Trop épuisé pour retourner au lit. Il leva la tête, yeux rivés vers l'aube rosée. Quand on court, il faut respirer ou pleurer, les deux à la fois, on n'y arrive pas. Ces derniers temps, il ne gagnait pas à tous les coups.

Ce moment passé avec Bel lui avait laissé un goût de sel, sa fille disparaissait et il ne songeait qu'à tomber dans les bras d'une femme qu'il connaissait à peine, il est vrai que depuis le début il avait senti qu'il pourrait se fier à elle, qu'elle l'attendait, lui et sa douleur et ses secrets, et qu'elle l'aimerait parce que les femmes comme elle n'aiment que des hommes comme lui, dont les mauvais anges crient si fort qu'ils ne peuvent que se boucher les oreilles et avancer tant bien que mal. Et le capitaine, quel con celui-là, il avait eu une bonne leçon et beaucoup de chance, croyait-il qu'on lui donnerait une médaille parce qu'il attraperait un pauvre diable qui se branlait devant des *snuff movies* truqués ? Ils n'avaient rien compris à la nature du mal dans ce pays d'opéra, on n'enferme pas la Légion dans une pension pour chiens. Miles cracha, la route montait, il faisait chaud dans les champs d'oliviers envahis par la vapeur, et il se souvint d'autres aubes qu'il avait voulu oublier. Les opérations qui consistaient à sortir des gens de leur lit pour les escorter jusqu'aux *black sites* – les trous noirs des geôles dans lesquels ils disparaîtraient – avaient lieu la plupart du temps avant le point du jour, meilleur moment pour surprendre les terroristes chez eux. *Les terroristes.* Des étudiants de son âge, des professeurs, des ouvriers, des syndicalistes, et lui se répétant que grâce à ces arrestations d'autres vies seraient épargnées, la came et l'alcool pour tenir parce que bien sûr c'étaient des conneries, *des étudiants de mon âge, des professeurs*, on les frappait pour qu'ils montent dans les camions, *des jeunes femmes qui sanglotaient*, des bébés pleuraient quelque part au fond des appartements, on fait des enfants très tôt dans ces pays, comme un défi lancé à la mort, comme un défi lancé à la vie, des garçons et des filles de son âge, *ma faute, ma très grande faute. Seules les victimes ont le droit de pardonner, mais si elles sont mortes, qui pourra le faire ?* Et il revit cette vieille institutrice s'accrochant au cou de sa petite-fille, qui criait, « Prenez-moi, prenez-moi à sa place », et qui implorait, « S'il vous plaît », et il revit les coups de crosse qui pleuvaient sur ses bras, ses épaules et sa poitrine, il revit l'instant exact où l'institutrice était tombée, il revit l'instant exact où ses doigts noués de rhumatismes avaient lâché prise, il revit la peau blanche qui virait au violet et la robe d'été qui collait aux maigres salières et les chaussures égarées et la main avec laquelle cette vieille femme couvrait sa bouche pour ravaler un hurlement qui ne se tairait plus jamais. Miles courait et pleurait maintenant, les larmes coulaient sur son visage dans ses oreilles sur ses lèvres son menton, on pouvait courir et pleurer, finalement, on pouvait faire les deux.

Jacopo

Florence, hôpital Santa Maria Nuova. Assis sur des chaises en plastique blanc sale dans une pièce blanc sale, Bella et Alessandro, le carabinier body-buildé de la brigade de Jacopo, attendaient.

– Mollo sur la clope, mademoiselle Ricci.

– Il aurait mieux fait de fumer, le capitaine. Tu crèves à petit feu, mais au moins ton sang ne repeint pas le trottoir.

– Vous auriez dû mettre des baskets, vous avez fait des kilomètres depuis ce matin pour aller cloper dehors. Z'en êtes à combien ?

– Trente. Trente et une. Le temps qu'il a fallu pour que le capitaine rouvre les yeux.

– Une veine que vous ayez été là, non ?

– À votre place, Alessandro, je… Tiens, voilà le médecin.

Le chirurgien qui se dirigeait vers eux en discutant avec l'infirmière était grand, sportif, bronzé. Odieux. Il les salua d'un hochement de tête et leur annonça que le capitaine avait perdu pas mal de sang – il était resté inconscient une heure sinon plus – mais c'était plus de peur que de mal, car l'entaille était superficielle. Il l'avait recousue, juste quelques points de suture, trois fois rien, une bricole. Par contre, il avait mis le patient sous sédatifs, car il était très agité. Le capitaine venait de se réveiller, mais devrait rester un ou deux jours à l'hôpital pour des examens complémentaires, et de toute façon un peu de repos ne lui ferait pas de mal. Alors que Bella lui tendait la main, le chirurgien tournait déjà les talons. Alessandro chercha son regard, mais la jeune femme fixait le fond du couloir où Jacopo, chancelant, une grosse compresse scotchée sous le menton, venait de faire son apparition, et de son pas dansant elle alla vers lui, approcha sa bouche de sa joue pour l'embrasser, *Jamais elle n'a été aussi pâle et rousse et jolie, la salope*, murmurant :

– Même pas mort, grand chef, c'est ça ? Si tu retournais au lit ?

– Pour crever, oui. La prochaine fois, susurra-t-il en l'écartant et continuant sa progression vers l'ascenseur.

Il appuya sur le bouton d'appel, et lorsque la porte s'ouvrit, il s'effondra tandis que Bella hurlait.

La réunion se tint dans sa chambre d'hôpital au cours de l'après-midi. Le capitaine, pâle, visage creusé, et cet air de clochard que des joues pas rasées donnent en vingt-quatre heures à certains hommes, avait tenu à recevoir ses carabiniers tout habillé, chemise propre apportée par ses filles et pantalon de treillis. On fit le point sur la situation. L'état de Nino s'améliorait, mais on ne pouvait pas encore lui parler. Quant aux faux suicidés, on n'en savait guère plus, ils n'étaient pas revenus raconter comment on les avait convaincus de se buter tout seuls. Et la jeune morte restait une Jane Doe sans identité. « *Brancolare nel buio* » était la formule que le quotidien *La Nazione* employait. Errer dans le noir, tâtonner dans les ténèbres, jamais expression n'avait semblé plus pertinente, se disait Jacopo. Pensant à Bel sortant à l'aube de chez le professeur, et pensant à Kadi. Pensant à sa trouille étrange, comme détachée de sa propre personne, pendant que l'autre salopard le tailladait. Il en avait marre de tout, de tout le monde, et surtout de lui-même. Il s'était fait avoir comme une débutante à son premier bal. Mais sans preuves, son intime conviction concernant l'implication du prof dans cette affaire ne pesait pas plus lourd qu'un pet de lapin. Il lui faudrait trouver la faille : le harceler en le poussant dans ses retranchements, le réinterroger sur son passé. Il fallait le faire tomber, au besoin en le poussant. D'autres tâches l'attendaient encore. Montrer au plus vite la photo de Nino à Kadi. S'expliquer avec Bella sur sa présence à Tosina. Quoique. Qu'y avait-il à dire de plus sur le sujet ? Si elle n'avait pas déjà compris… Tout ça attendrait le lendemain, il n'avait plus de forces pour rien. Mais il n'avait pas l'intention de passer la nuit ailleurs que dans son lit, chez lui. Les hôpitaux, c'est comme les salles de bains : les probabilités d'y mourir y sont très élevées. Autant crever chez soi, tranquillement et discrètement, que se vider de son sang devant une assistance aux yeux de laquelle, en définitive, on n'est qu'un numéro.

Nino

Florence, *comando* des carabiniers. Le 22 juin 2014 à 2 h 45 le carabinier Nino D'Angelo a été pris en charge par l'ambulance S.S. 402 en localité Pian dei Giullari à Florence suite à l'appel d'un témoin. (Voir fiche jointe.) Le docteur Mario Lagioia a constaté des nombreuses blessures à l'arme blanche. Emmené d'urgence, D'Angelo est arrivé à l'hôpital de Santa Maria Nuova de Florence à 3 h 05. Affaires et effets personnels : jean et sweat à capuche marque Levi's. Slip marque HOM. Baskets marque Converse. Poche droite : 13 euros. Poche gauche : note rédigée au crayon sur feuille de papier quadrillé. Pas de veste retrouvée sur place. Pas de documents personnels.

Note jointe.

Mémorandum pour le capitaine. Le tableau intitulé Le Printemps, *peint par Botticelli et visible dans la salle 14 du musée des Offices, est le dessein du Monstre. (Cf. Paolo Franceschetti, l'avocat qui s'occupe de l'affaire depuis des années.)*

Premier cycle des meurtres, 1974-1985 :

1) La nymphe – extrême droite du tableau – mordillant une parure de fleurs : Carmela De Nuccio. Avant de s'en aller, le tueur lui a glissé son collier entre les lèvres.

2) Seule l'une des nymphes du tableau est représentée dos tourné : Susanna Cambi a été poignardée dans le dos.

3) La Grâce symbolisant la Vertu a le sein gauche nu et une croix au cou. Pia – « la pieuse » – Rontini a été amputée du sein gauche. La croix qu'elle avait au cou a été emportée par son assaillant.

4) Dans le tableau, l'une des Grâces est totalement habillée : Antonella Migliorini a été la seule victime féminine tuée par balle et non à l'arme blanche.

5) La Vénus est habillée d'un tissu fleuri, couronnée de feuilles et de branches : à Nadine Mauriot le tueur a amputé le sein et le pubis, les deux endroits que la Vénus couvre de ses mains. Des guirlandes de baies et de branches ont été assemblées près du corps de la jeune Française.

6) Stefania Pettini interprète Flore, deuxième nymphe à droite. C'est la déesse des vignes. On a retrouvé Stefania avec un sarment dans le vagin.

7) Il y a deux hommes dans le tableau. L'un d'entre eux a de longs cheveux. Deux Allemands ont été les victimes de la première série de meurtres.

Expliquer au capitaine que par ces délits on a voulu consacrer Florence. Derrière ces meurtres il y a la Rose rouge. Pour arriver à ses fins, elle a œuvré dans l'ombre pendant toutes ces années. Rien n'a été laissé au hasard au cours de ces rites propitiatoires, mises en scène sacrificielles en vue de l'avènement de l'ordre nouveau. La Rose rouge voulait établir son pouvoir dans le chef-lieu de la Toscane. C'est chose faite, car en 2013 le maire de Florence Matteo Renzi a été nommé président du Conseil sans que les Italiens aient eu leur mot à dire, un tour de passe-passe dont la Rose, qui comme beaucoup d'ordres cachés tient en horreur la démocratie, a l'habitude. Il faut que le capitaine sache que, en plus de leur signification ésotérique, les cérémonies sont aussi un moyen de faire du chantage. Cela a joué à mon niveau, mais puisque ça fonctionne par cercles – le mien étant le moins important –, beaucoup d'autres personnes, dont certaines très haut placées, sont impliquées, chaque membre jouant son rôle sans que les autres soient tenus au courant. J'ignore les détails, mais j'ai compris que la Rose a besoin d'un renouvellement générationnel dans les cercles du pouvoir. Toujours est-il que le cycle a recommencé : Irina, rose à la bouche, est Chloris, agrippée par le noir Zéphyr. Les deux filles tuées ensemble sont la Fidélité (la Rose a de l'humour) et la Beauté. Benedetta au nom béni représente la Vertu, comme Pia avant elle. Le Printemps est incarné par Maria-Suzana. Enfin, Vénus est la fille du professeur, l'élue aux seins et au ventre bombés. Il reste les deux hommes : il s'agit pour l'un d'eux de Claudio Meli, le jeune interne assassiné dans la Fiat. Quant à moi, je suis la dernière victime mâle prédestinée.

Jacopo

Florence, Villa Selvaggia, Pian dei Giullari. Le téléphone sonnait, mais Jacopo ne parvenait pas à soulever son bras. Emprisonné dans un cocon de sommeil blanc, il lui semblait qu'il venait à peine de poser la tête sur l'oreiller. Le téléphone sonnait, sonnait. Sa main pesait trop lourd pour l'attraper. *Allez, mon vieux. Vas-y. Tu peux y arriver.* Malgré ses efforts, sa langue resta couchée comme un animal mort dans la cavité du palais.

– Capitaine, c'est l'hôpital.

– Quelle heure est-il ?

Sa voix gargouillait, éclats de craie, sable bouillant. L'autre dit :

– Quoi ? Je ne comprends rien.

Toux, crachats :

– Quelle heure est-il ?

– Cinq heures et demie. Il est revenu.

Toux, crachats :

– Qui est revenu ? Qui êtes-vous ?

– L'infirmier de nuit. Vous m'avez demandé de vous appeler, alors je vous appelle. Nino D'Angelo est réveillé.

Ce qui n'est pas mon cas.

– Et Alessandro, mon carabinier ? Je l'avais mis de garde.

– Il dort.

Ben tiens.

– D'Angelo… il a dit quelque chose ?

– Je ne comprends rien non plus à ce qu'il bredouille.

– OK. J'arrive. Ne bougez pas.

Avant de sortir de l'hôpital, on avait gavé Jacopo d'analgésiques et d'antibiotiques. Assez pour assommer un cheval, *Je ne suis pas un cheval, merde, jamais je n'y arriverai.* Il appela au secours Francesco, assez lucide pour savoir qu'il était hors de question de conduire dans ces conditions, puis posa un pied à terre. La tête lui tournait, le monde roula sur des montagnes russes. Il serra les paupières, vit des points lumineux qui dansaient, *Des lucioles, des étoiles filantes, comme l'autre nuit*, attendit. Il sentait qu'il puait, la peau les cheveux la maladie, *La mort, oui,* pendant qu'on le recousait il avait été attentif à tout sans rien éprouver d'autre qu'un vide abyssal, une neutralité absolue, *La Suisse pendant la dernière guerre*, et ce matin cette colère, cette envie de bouffer la tête de son agresseur, de lui arracher le cœur pour le jeter aux chiens, *Respire, mon vieux, tu lui feras passer l'envie de te niquer, un pied devant l'autre, à la douche maintenant, un pied devant l'autre. Tu vois quand tu veux.* Quand même. Quatre-vingt-dix kilos de viande avariée.

– Je peux vous aider, capitaine ?

Bordel. Qu'est-ce que j'ai mal à la gorge. Toux, crachats. Voix d'outre-tombe. *Je vais y arriver.*

– Fous-moi la paix, Francesco. Je ne suis pas encore mort.

– Dites donc, il vous a arrangé, ce con. Vous n'avez plus de voix.

Toux, crachats. *Je vais y arriver.*

– C'est quoi cette caisse ?

– Désolé, chef. Je n'avais pas assez d'essence dans ma voiture. Alors je suis passé à la caserne. Mais à cette heure-ci, notre parc auto, c'est pas le concessionnaire Rolls-Royce.

– Génial ! Ils ont gerbé dedans ou quoi ?

– C'est vrai, elle n'est pas passée au lavage on dirait. Ouais. Mais, cap'taine, c'est tout ce que…

– Roule, va. Plus vite que ça.

– Vous, ça va aller ?

Voix d'outre-tombe :

– Non. Mais peu importe. Roule.

Hôpital de Santa Maria Nuova. Le plus vieux de la ville. Avec cet air de sortir des *Aventures de Pinocchio*. D'un film de Benigni. Les arcades, les murs roses. Chirurgie. Soins intensifs. Chambre 302. Nino, blanc comme le mur, ses yeux bleus grands ouverts. Tête rasée bandée. Tubes remplis de liquide entrant et sortant de tous les côtés. Machines qui bipent. L'infirmier lui donnait à boire avec une paille, tenant la bouteille en plastique penchée. Le regard du jeune carabinier. Cet air de gosse battu que Jacopo connaissait. *Il y a des larmes dans ses yeux.* Trois mots, répétés. Un murmure, *La Vierge noire.* Et puis, *La Rose rouge. Helter Skelter. Pardon, capitaine.* Nino referma les yeux. Repartit d'où il était venu. L'entre-deux. Appelez ça comme vous voulez. Francesco et le capitaine figés comme des piquets. Fixant l'infirmier. Qui leur confirma, navré :

– C'est tout ce qu'il a dit. Ce truc que vous avez entendu. Rien d'autre. Désolé.

La sœur de Nino resta au chevet du jeune carabinier toute la journée, s'absentant une seule fois, vers 23 heures 30, pour boire un thé à la cafétéria. Accompagnée par un garde qui aurait dû rester devant la porte de la chambre, mais qui ne respecta pas la consigne. Lorsqu'ils revinrent, à minuit passé de dix minutes, Nino avait cessé de respirer.

H.S.

ninna nanna ninna o questa bimba a chi la do ? La darò alla befana che la tiene una settimana. La darò all'uomo nero che la tiene un mese intero. *Ferme les yeux, ma rose trémière, je te donnerai à la sorcière qui te gardera une semaine entière, je te donnerai à l'homme noir qui t'enfermera dans son manoir.*

Ma mission s'accomplit, fillette. Si facile de tenir un oreiller devant la bouche du gosse. Dernier soupir, au revoir. Oh oui, capitaine. Tu regretteras de ne pas être mort toi aussi. Vous ne pouvez pas savoir quel goût ont vos filles. Comme elles sentent bon. Vous les élevez, les soignez, les préparez pour moi. Le grand méchant loup. L'homme qui est en vous. L'homme qui est vous. Le grand tabou. Je suis si heureux. J'aime que les choses soient bien faites. Tu reverras ton père, fillette. Il nous retrouvera, je lui fais confiance. Devant lui je te boirai.

Devant toi je l'anéantirai. Et le monde sera parfait. Ne ferme pas les yeux.

Ninna nanna ninna o questa bimba a chi la do.

Jacopo

Florence. Dimanche. *Comando* des carabiniers. *Meurtres et mensonges, luxure et mort, destruction et rédemption.* Le capitaine aurait voulu être chez lui, un plaid sur les genoux et une boisson chaude à la main. Laisser filer. Somnoler, soigner sa carcasse endolorie. *Et ma fierté aussi, nom de Dieu.* Il aurait été gâté pourri par ses filles, « Encore un peu de café, papa, une aspirine ? » Il aurait traîné en pantoufles et peignoir devant la télévision retransmettant la messe du pape comme chaque dimanche matin, pourquoi pas ? Au lieu de ça, il était tout seul dans son bureau, les cloches sonnant à la volée dans les églises de Florence. Toutes ensemble, toutes en même temps, et pour certaines, âgées de quelques centaines d'années, ayant carillonné par le passé à l'occasion des grands mariages, des enterrements, des inondations, des cérémonies d'investiture des princes, des incendies et des épidémies. Une sonorité qui, lui avait appris sa grand-mère, était censée chasser les démons. Mais Jacopo savait maintenant. Le démon se terre pour mieux revenir. Plus fort, plus hardi, plus aguerri. Moderne. Un démon 2.0. Qu'il aille se faire voir, le démon, avec ses acolytes, ses vestales et ses complices. Rien à foutre. Il allait rentrer chez lui et se mettre en pyjama. Sa gorge lui faisait un mal de chien, il avait le crâne dans un étau et sa voix semblait s'être fait la malle pour de bon. Il était obligé de communiquer par le biais d'un crayon et d'un carnet qu'il gardait sur lui. *Super.*

Le boulot le plus urgent avait été fait. Kadi, convoquée au commissariat avec d'autres prostituées, avait formellement reconnu Nino sur une photo qu'on lui avait montrée. Oui, c'était le dépravé qui les brûlait avec des cierges. Cependant, l'Ivoirienne avait été réticente à reconnaître sa présence à l'enterrement d'Irina Radic. Elle avait répété ne pas en être sûre à cent pour cent, la casquette dissimulait le visage du type. *Les témoins oculaires, quelle blague...* Alors quoi, le grand jeu ou juste une perversion de gamin paumé, *Tu étais qui, dis-moi, mon pauvre Nino ?*

Le téléphone sonna. C'était l'accueil. Le carabinier de service voulait savoir s'il pouvait faire monter quelqu'un qui le demandait. Un très jeune homme, Matteo Rosi. Oui, on l'avait fouillé, RAS. Il disait avoir des informations. *Il n'y avait plus de dimanches, il n'y en avait jamais eu dans ce métier.* Et pour quoi faire ? Pour qui ? Qu'est-ce que ça changeait ? En quoi le capitaine D'Orto était-il utile au monde ? Et si là, maintenant, tout de suite, il fermait boutique et sortait de ce bureau – définitivement ?

Des coups frappés.

– *Entrez.*

Murmuré. Jamais on n'entendrait sa voix fracassée à travers la porte fermée. Il se leva pour ouvrir. Un môme, duvet blond sur la lèvre supérieure, pas de barbe au menton :

– Capitaine ? Capitaine D'Orto ?

Le capitaine lui fit signe d'entrer et de refermer la porte derrière lui pendant qu'il retournait à son bureau, puis sur le carnet : *Extinction de voix. Je ne peux pas parler. Vous êtes qui ?*

– Je suis Matteo Rosi, je connaissais Benedetta Donati. J'étais son petit copain. Enfin… je l'étais quand nous étions à la maternelle.

Continue.

– J'ai hésité à venir vous voir. Un de vos hommes m'a interrogé lorsque je suis revenu de ma tournée. Mais je ne lui ai pas tout dit, parce que je ne savais pas si ça en valait la peine. Et puis… Peut-être que ce n'est rien.

Allez, vas-y, mon garçon. Explique-toi.

Le môme le fixa un moment sans rien dire. Se décida enfin :

– Vous ne pouvez vraiment pas parler ?

Dépêche.

– Alors voilà. Benedetta n'avait rien dit chez elle à propos de… Enfin, elle ne voulait pas que ses parents s'inquiètent. Ça arrive tout le temps aux jolies filles de tomber sur des mecs chelous. Qui les branchent, enfin, vous voyez.

Elle t'a donné un nom ?

– Non, mais elle m'a dit à quoi il ressemblait.

Vas-y.

– Costume-cravate, quarante, cinquante ans, par là. Il lui a foutu la trouille.

Quarante, cinquante ans. C'est pareil. Ben voyons.

– Il était insistant. Voulait savoir si elle avait un mec. Lui avait offert un café, un matin. Le soir, il était devant chez elle. Il la guettait.

Il était comment, à part son âge ?

– Habillé comme un type qui bosse dans un bureau.

Allez, mon gars. Tu peux faire mieux que ça.

– Écoutez, je n'aurais pas dû venir…

Donne-moi quelque chose de plus précis. Couleur des cheveux, des yeux. De la peau. Blanc ? Noir ?

– Blanc, blanc. Mais pour le reste… Chais pas, capitaine.

Grand, petit ? Moche, beau ? Gros, mince ? Banquier, commerçant…

– Genre banquier, plutôt. Arrogant. Mais, capitaine… Je ne fréquente pas les types comme ça, moi, je ne vois que des gens de mon âge, des jeunes.

Des gens de son âge. Chercher la photo de la fille du prof. La lui montrer.

Tu la connais ?

– Elle ? Oui. Je l'ai vue à un concert il n'y a pas longtemps.

Bingo. Continue.

– Je l'ai remarquée parce que c'était une bombe, et puis… elle n'était pas de chez nous. Une Black.

Quel concert ?

– Tricky Live. Au Fine Fame #3. Début mai. Je ne me souviens pas de la date, mais on peut la retrouver.

Tu lui as parlé ?

– On était trop près de la scène tous les deux. Il y avait un vieux tube qui passait, « Karmacoma », on a dansé. Elle bougeait super bien, elle chauffait pas mal de mecs. Je l'ai cherchée à la sortie, mais je ne l'ai pas revue.

Merci, Matteo. Reviens me voir si tu penses à quelque chose.

– Capitaine.

Il me regarde. Il a des larmes dans les yeux.

– Trouvez-le. Le salaud qui a fait ça à Benedetta. S'il vous plaît.

Dimanche. Minuit. Finalement il avait passé la journée dans son bureau. Du temps perdu à relire le dossier. Pour rien. Le téléphone sonna. Comment répondre si on ne peut pas parler ? Mais le type qui appelait n'attendait pas. Il hurla :

– Capitaine ! L'ordinateur de votre gars ! Il s'est déverrouillé ! Venez ! Il y a des trucs bizarres dedans.

Un *file* énorme nommé « Helter Skelter », allez, venez.

Les derniers mots de Nino, Helter Skelter, pardon, capitaine.

Le pardon ne guérit pas la bosse, petit.

Miles

Les larmes de Nonnie n'avaient cessé de couler sur son visage depuis la nuit où notre univers s'était écroulé. Même devant Indie, elle ne pouvait les contenir. Je lui avais demandé pardon à genoux et elle avait feint de me pardonner. Un mensonge des deux côtés. Nonnie pleurait au petit-déjeuner sur les flocons d'avoine de notre fille, pleurait en rangeant les assiettes dans le lave-vaisselle, en s'habillant pour sortir, en revenant de la bibliothèque où elle travaillait, sanglotait pendant que je lui tenais la main assis par terre, car je ne pouvais la rejoindre dans notre lit. Je rôdais dans la maison et, oui, Sienna me manquait, j'étais un camé sans sa dose, et Nonnie pleurait, et je me branlais sous la douche, Nonnie pleurait et je ne pouvais même pas l'approcher, honteux pour ma femme, en colère contre moi, j'en voulais encore, je ne pensais qu'à Sienna, j'avais besoin de ses lèvres, de sa chatte, de ses seins, Nonnie pleurait et je me branlais dans mon bureau, dans la salle de bains, dans l'abri de jardin, il fallait couper, mais quoi ? C'était à moi qu'il aurait fallu trancher la tête, sabrer les mains qui la cherchaient toujours et partout, moi qu'on aurait dû écorcher pour que ma peau cesse de la réclamer, combien de temps dure l'amour d'un homme si un homme, c'est juste une queue qui ne tient compte de rien ni de personne ? Un homme qui bande est un bandit, écrivait Jean Genet. Un homme qui bande est un tueur. Mais tu sais déjà tout ça, Kadi. Bien sûr que tu le sais. Nous sommes partis quelques jours. Un voyage qu'on avait programmé depuis longtemps, en famille, ce mot qui ne voulait plus rien dire.

Nous sommes allés à Los Angeles. Parce qu'Indiana, Hollywood Boulevard, ça la rendait folle de joie. Venice Beach au lieu de Venise, Disney plutôt que le Colisée, la Route 66 et Malibu, les surfeurs bronzés et le sable chaud toute l'année. En Amérique, on a les rêves qu'on peut. Et une cité d'anges déchus, c'était ce qu'il fallait pour nous retrouver. Reconstruire notre famille, ce mot qui ne signifiait plus rien puisque son chef avait abdiqué.

Tu sais quoi, sister *? Là-bas, c'était pire encore. Dépouillée de son cadre, de son jardin, de ses livres, Nonnie s'est pétrifiée. On l'aurait dite catatonique. Elle souriait tout le temps. Parlait d'une voix que je ne lui connaissais pas. Elle nous faisait peur, à Indiana et à moi. Il n'y avait plus rien derrière ses* *yeux. Dans les hôtels, nous prenions des lits king-size. Elle dormait avec notre fille dans l'un des deux, moi dans l'autre. Elle avalait les calmants que son médecin lui avait prescrits, comme des cacahuètes, comme des bonbons. Et souriait. Même quand elle se croyait seule, son rictus restait collé sur son visage. J'aurais voulu l'embrasser pour qu'il s'efface, mais je ne pouvais même pas l'effleurer. Fureur contre moi, pitié pour elle. L'inverse aussi était vrai. Oui. Oui, je sais, Kadi : tu peux modifier ta conduite, mais pas tes sentiments. Je n'aimais plus Nonnie. Et je m'en voulais. J'aurais fait n'importe quoi pour que ça revienne. Quand je dis que je ne l'aimais plus... j'étais prêt à passer le reste de ma vie à ses côtés. Je ne me soustrayais pas à l'idée d'expier ma faute jusqu'à la fin de mes jours. Mais ma tendresse pour elle était entachée de mon impuissance à oublier Sienna, et de ma rage contre mon corps qui se rebellait. Et Nonnie. Son amour pour moi était une peste. Cette désolation de colombe blessée, je n'en pouvais plus. Si au moins elle m'avait bourré de coups de poing. Si au moins elle s'était révoltée contre l'injustice que je lui infligeais. Mais sa plainte muette m'anéantissait plus sûrement que n'importe quel reproche. Il me venait des envies de la coller contre un mur. D'arracher son slip, de la clouer au sol. De la baiser. J'aurais aimé la voir réagir, j'aurais donné n'importe quoi pour retrouver ma complice, mon amoureuse. Puis je regardais cette petite chose maigre et pâle à mes côtés. Les yeux battus et ce sourire dément aux lèvres. Et je ne désirais que mettre mes doigts autour de son cou et serrer.*

Nous avions loué une décapotable, une Camaro rouge sang, et nous nous promenions pendant des heures sans but, sans joie. Un cauchemar qui n'en finissait pas. On se levait dans un brouillard chaud, une moiteur qui rendait le monde dégoulinant et fiévreux, sauf dans l'air conditionné des chambres, blanches et grandes et impersonnelles et confortables. Un cauchemar dont on ne pouvait s'éveiller. J'ignore si Indiana comprenait ce qu'on traversait. Les enfants ont leur manière à eux de faire comme si tout allait bien. Ils font semblant de s'endormir et s'endorment pour de vrai. C'est ce que notre fille faisait. Et Nonnie souriait. Souriait. Souriait.

Indiana

Florence, quelque part dans la ville. La nuit. Où es-tu, papa ? Pourquoi tu ne viens pas ? Les enfants perdus suivent le vent. Je me souviens de cette fois où, toute petite, quatre, cinq ans ? je me suis égarée sur la plage. De mon matelas bleu nuit. Des larmes qui n'arrêtaient pas de couler sur mes joues. Je les avalais. Je marchais dans les dunes. Personne ne me voyait. Comme dans les bandes dessinées, j'étais invisible. Personne ne se souciait de moi. Je croyais que tu m'avais abandonnée. Que tu étais parti, que tu nous avais laissées. Tu sais, papa. Parfois, quand j'étais petite, la nuit j'avais peur. J'entendais les bruits dans votre chambre. Les gémissements, les murmures, les soupirs. Je croyais que tu faisais mal à maman. Et qu'elle ne disait rien pour que tu ne nous quittes pas. Où es-tu, papa ? Pourquoi tu ne viens pas ? Tu as cru que je dormais ce soir-là, mais ce n'était pas vrai. Les enfants font semblant de dormir, mais ils sont éveillés. Même s'ils ne comprennent pas tout ce qui se passe. J'en avais tellement marre, si tu savais. On ne faisait que se promener. Vous étiez si tristes, tous les deux. Vous ne vous touchiez pas. Ne vous regardiez pas. Si tristes, tout le temps. Alors moi, j'avais le devoir d'être gaie. Enthousiaste. « Je veux Disney. » On y est allés deux fois. Hollywood Boulevard. Des jouets, le cinéma. Des frites, des hot-dogs, des bonbons, des milk-shakes, des glaces. J'avais tout ce que je désirais à l'instant même où je le demandais. Je vomissais en cachette, combien de fois on s'est arrêtés dans des cafés et des bars et des toilettes dans des stations-service. Maman m'accompagnait en souriant de ce sourire bizarre qu'elle avait et qui me faisait si peur. J'exigeais qu'elle reste à la porte, « Attends-moi dehors. » Elle ne protestait pas. En sortant des toilettes, je la voyais penchée sur un brin d'herbe, ou en train de scruter le ciel. Ne voyant rien du tout, en réalité. Perdue dans son espace gris et immobile, avec juste le décor qui changeait. Enfermée dans une douleur que je ne pouvais qu'imaginer. Vous ne vous disputiez pas, juste quelques mots à voix basse, parfois. Mais je savais. Je savais que toi, papa, tu avais fait quelque chose qu'elle ne pouvait pas te pardonner. Pendant toute cette période où tu sentais si bizarre. Je savais que tu n'avais qu'une envie, te débarrasser de nous pour recommencer. Alors je faisais des caprices pour vous tenir occupés. Des chips, des petits-déjeuners, des œufs et des saucisses et des pancakes au sirop que vous ne mangiez pas. Tu buvais du café comme si ta vie en dépendait. Maman, des litres de thé, si chaud qu'elle s'y brûlait. Mulholland Drive. C'était le dernier soir. Nous avions notre vol le lendemain. Dans la voiture, je faisais semblant de dormir pour que nous soyons plus vite à l'aéroport. Pour qu'on soit de nouveau tous les trois chez nous. Là où l'ogre ne pourrait pas nous attraper. Mais l'ogre, c'était toi. Mulholland Drive. Les yeux serrés si fort que j'en avais mal. Comme maintenant. Je suis si seule. Tous ceux que j'ai aimés me semblent si loin. Ou alors c'est moi. Cette impression de ne pas être vraiment moi. Vraiment là. Comme avec Nathan. Il doit être dégoûté. Je le comprends. Mais j'avais peur. De toi, papa. J'ai toujours eu peur de toi. Tu te souviens quand je dormais devant ta porte la nuit ? C'est parce que j'avais peur que tu viennes dans ma chambre, et que tu me fasses mal comme à maman. Et quand je t'entendais ronfler, je mettais la tête sous mon oreiller, pour ne pas t'entendre. Tu devenais l'autre. Tu devenais le monstre. Celui qui faisait pleurer maman. Celui qui était prêt à tuer. Je le voyais dans tes yeux.

Tu as recommencé, papa ? Comme autrefois ?

Jacopo

Florence. Baker the Hacker. Lorsque Jacopo avait débarqué chez l'informaticien, à minuit passé, il avait d'abord demandé au jeune type hirsute qui lui avait ouvert la porte si son père était là. Le garçon s'était penché vers lui pour mieux entendre car le capitaine murmurait à voix si basse qu'il fallait presque lire sur ses lèvres pour comprendre ce qu'il disait. *Son père. N'importe quoi. C'est pas lui qui est trop jeune, c'est toi qui es trop vieux, mon pauvre Jacopo.* Au moins il n'avait plus besoin du carnet pour communiquer. C'était déjà ça. Regardant autour de lui, le capitaine découvrit un appartement d'un seul tenant, mais tellement encombré de pièces détachées, de circuits et d'ordinateurs allumés, de maquettes de films d'animation et de figurines de super héros, qu'il semblait impossible qu'un être sensé vive là-dedans. Exception faite d'un de ces mômes dont l'univers est présidé par un dieu Mac branché dans les galaxies cybernétiques. Il le détailla. Maigre comme un clou. Des cheveux poil de carotte, un jean qui avait un besoin urgent de passer à la machine à laver, un T-shirt rouge avec dessus des mots en anglais illisibles et un œil avec une barbe. Il soupira :

– Comment tu t'appelles, déjà ?

– Jean-Christophe Baker. J.-C. Mon père est canadien et…

– OK, Baker the Hacker. Tu peux remettre les choses dans l'ordre ? L'ordi de mon carabinier… qu'est-ce qui s'est passé ?

– « *What they need's a damn good whacking* », capitaine.

– Ça veut dire quoi ?

– En gros, ils ont besoin d'une bonne raclée.

– Qui a besoin d'une bonne raclée ? C'est quoi le truc dont tu m'as parlé au téléphone, Helter Skelter ? J'y comprends rien ! Explique-moi.

– En fait, c'est une chanson des Beatles. Sur l'album blanc. Helter Skelter, ça veut dire immense bordel, gigantesque merdier, un truc comme ça. C'est intraduisible en fait. « *What they need's a damn good whacking* », ça vient du même album, mais c'est dans une autre chanson, « *Piggies* ».

– Je ne vois vraiment pas.

– Écoutez-moi une minute, capitaine. Charles Manson, vous connaissez ?

– Quel rapport ?

– C'était le dieu du mal, ce gars-là. La légende. Waouh… En fait, j'ai été voir sa notice Wiki. Fastoche. Ce type avait associé des extraits de la Bible aux textes du *White Album*, l'album blanc des Beatles, et conçu une prophétie. En gros, selon lui, les Noirs, menés par les Black Panthers, allaient dominer les Blancs, qui se tourneraient alors vers lui pour diriger leur nouvelle nation. Par ses crimes, il espérait déclencher une guerre civile entre les deux factions. Délire, non ? En gros, les Beatles étaient pour lui les Quatre Cavaliers de l'Apocalypse qui lui délivraient des messages, l'appelant à procéder à des meurtres rituels.

– Dis-moi… comment tu t'appelles déjà ?

– J.-C.

– J.-C. Recommence. Comment tu as réussi à débloquer l'ordi ?

– En fait, je l'ignore. Je l'avais un peu tripoté. Et pendant que je mangeais ma pizza, il s'est réinitialisé.

– C'est-à-dire ?

– En gros, il s'est éteint tout seul et rallumé. Et le bureau est apparu.

– Comment tu expliques ça ?

– Si j'étais croyant, je dirais que c'est un miracle. Le type, là, votre carabinier. Il est mort la nuit dernière, non ?

– Vers minuit, oui.

– En fait, c'est comme s'il lui avait donné ses ordres de l'au-delà. Mais je pense qu'il l'avait juste programmé pour rester bloqué un temps.

Sans nouvelle connexion pendant, mettons, trois jours, il devait se débloquer tout seul. En gros, aucun *lead user* ne reste si longtemps loin de ses jouets. Je ne sais pas si votre gars avait peur qu'il lui arrive quelque chose ou si, en fait, c'était juste une sécurité.

– Et Helter Skelter ? La Rose rouge ? La Vierge noire ?

– Des dossiers. Les plus gros. Dedans, il y a tout et n'importe quoi : des notes, des *links* vers des pages Internet, des trucs sur les messes sataniques et sur les services secrets, des documentaires sur les serial killers… Beaucoup de thèses complotistes à chier par terre, à mon avis.

– Tu peux me les imprimer ?

Le garçon le regarda d'un air de commisération. Il se leva de sa chaise, attrapa un disque dur sur une étagère et le lui tendit.

– Vous feriez mieux de prendre ça. 500 Go. Au fait, vous voulez un morceau de pizza ?

Jacopo considéra les restes racornis dans la boîte en carton. Les cratères calcinés. *The dark side of the moon.*

– Non merci, ça ira. Tu as fait du bon boulot.

Pourquoi chez les petits génies il y a toujours un truc qui cloche ?

– Vous rigolez. Il m'a eu, ce con. Si vous avez encore besoin de moi, je suis là. Même la nuit, en fait. Ciao, capitaine.

– Au revoir, *en fait*. Et merci.

Une histoire de suprématie raciale. Blacks contre Blancs. Et vice versa. Un truc qui ne ressemble à rien, aucune logique. Helter Skelter, tu parles. Tu étais vraiment à l'ouest, mon pauvre Nino.

H.S.

Feu, arbres, eau, animaux, vent, toutes les formes de vie sont sacrées. Nous sommes à court d'eau. Nous polluons constamment l'air que nous respirons. Nous détruisons la Chose dont notre vie est dépendante. Toute vie est une vie. Le mariage de vrais esprits – comme Shakespeare l'a dit. Nous nous marions dans ATWA. L'air et l'eau sont notre esprit, les arbres et les animaux sont notre chair et notre sang. Ils l'ont battu, ont menti sur lui ‡ mais je suis venu pour accomplir ce qu'il ne pouvait plus faire depuis qu'ils l'ont enfermé. Ils ont dit qu'il délire. Ils ont dit qu'il est fou. Ils ne cessent de mentir, depuis des dizaines d'années. Ils ont dit qu'il a tué de ses propres mains, mais ce n'est pas vrai. Il lui suffit de penser, de délivrer le message, et le monde le fait pour lui. Les femmes se servent de leur corps pour manœuvrer les hommes. Les hommes sont leurs complices dans la chair et le sang. En moi, à travers mon père, renaît l'enfant qui sauvera le monde. Par moi, la chair et le sang de père seront transmis. Rien de ce que les médias racontent sur papa n'est vrai. Il ne veut pas avoir d'autre fils, parce qu'il sait que je suis là, que je travaille pour lui. Cette œuvre, c'est toute ma vie. La femme qu'on appelle Star, il ne l'aime pas. Il suffit de voir leurs photos. Elle le tient par les épaules, lui a les bras croisés. Défiant le monde de ses yeux. Elle est jeune, elle ressemble à tante Suzie. À s'y tromper. Mais elle est toc. Bidon. Ça se voit à ses yeux. Une souris qui a trouvé un bout de fromage. Rusée. Espérant se hisser sur le trône par le sexe. Mais le sexe n'est rien. Une fonction naturelle, comme boire ou manger ou pisser. Il n'y a que l'amour qui compte. Mon père n'a jamais aimé que ma mère. Aucune autre femme n'a compté pour lui, ni avant ni après. Mes frères sont des sang-mêlé, nés de femelles impures et de sa semence bénie. Des demi-dieux. Moi seul suis son vrai enfant. Né de l'amour et par l'amour. C'est l'unique réalité qui compte. Il n'y a que l'amour qui soit aussi fort que la mort. La mort ne nous coupe pas de ceux que nous aimons. Au contraire. Nos bien-aimés nous accompagnent partout. La mort rend l'amour plus beau. Infini. Seul Dieu peut parler ainsi. Je suis son fils. Suivez-moi, et par l'amour vous serez sauvés.

Jacopo

Florence. *Comando* des carabiniers. Bureau de Mattotti. Un Mattotti furieux. Jacopo au garde-à-vous. Aussi furieux que le boss. Et Mattotti l'engueulant comme du poisson pourri :

– C'est tout ce que tu as à me proposer, capitaine ? Un disque dur rempli des divagations de D'Angelo, ce petit con perturbé ? Comment je justifie ce bordel, moi ? Et qu'est-ce qu'on va leur raconter, aux pisse-copies ? Qu'on avait un psychopathe en pleine hallu dans nos rangs, pardon, on ne savait pas ?

– Nino est mort, dottor Mattotti. Parce qu'il était au courant de ce qui se trame derrière ce bordel, comme vous dites. J'ai visionné moi-même une partie de son disque dur, je comprends votre point de vue, mais il ne faut pas le lâcher comme ça, notre carabinier. On doit aller plus loin dans l'enquête. Les ADN...

– Tu sais combien coûte un ADN ? Six cents euros. Six cents euros, merde ! L'année dernière, on a eu une centaine de crimes commis par des inconnus. Il aurait fallu une dizaine d'analyses au bas mot par tête de pipe. Tu sais quel est notre budget annuel ? Fais le calcul, capitaine.

– Nino avait vingt-quatre ans.

– Et alors ? Tu sais ce que je pense ? Ton Nino D'Angelo n'était pas du tout un ange.

– Trop facile, *dottore*. Tout lui mettre sur le dos… Trop facile. Et ça ne colle pas. J'ai fait des recherches et…

– On garde ses petits secrets, c'est ça ? On ne me dit pas tout ?

Non, je ne t'ai pas tout dit, sombre connard.

– Écoute, capitaine. Pour l'instant, on fouille ses *files*. Mais il faut que tu t'attendes au pire. À tous les coups, c'est ton carabinier qui leur a mouché la chandelle, aux deux traînées du Chianti. Comme par hasard, juste le soir où tu n'étais pas d'astreinte. Encore par hasard, il n'était pas avec ta brigade la nuit où vous avez retrouvé la voiture des amoureux. Et on a son empreinte génétique sur la crucifiée. Il était avec les autres barjots, les faux suicidés, lors de la crucifixion de la Moldave, ça ne fait pas un pli, tout concorde, vous avez commencé votre tour à minuit, non ? De toute façon, j'ai toujours senti qu'il y avait un truc pas net chez lui, j'ai du flair pour ça. Chapeau bas, quand même. Il les a bien eus, ses complices. Sauf un, pas de bol. Du chantage pour les faire venir aux rendez-vous, et une aide pharmacologique pour les achever. On a retrouvé de la kétamine, la drogue du viol, dans leur sang… Tu ne savais pas ? Tu t'es disputé avec ta copine biologiste ?

Silence. Le capitaine fixant un point au-dessus de la tête de Mattotti. Silence. La Limace savourait. Silence. Puis :

– Bref. C'est lui et ses compères qui l'ont enlevée, Indiana Lemoine, il n'y a pas de doute là-dessus. D'Angelo est mort ainsi que ses camarades, le dernier survivant a décampé à tous les coups, et la fille, on ne la retrouvera jamais. Amen.

– *Dottore*, le père…

– Tu le lâches. Fourre-toi dans le crâne qu'il n'y a aucune preuve contre ce mec. Son passé dans l'armée ? Il n'a fait que son devoir. Sa femme ? C'est pas nos oignons. Il va bien finir par retourner chez lui, celui-là. En Amérique, en Afrique, où il veut. Qu'il dégage, on a déjà assez de moricauds. Ça s'arrête là. Le reste, c'est rien que du délire. Tous ces trucs de ton carabinier sur la Rose rouge et Botticelli et la Vierge de mes…

– Quels trucs sur Botticelli ?

– Ben, le billet retrouvé dans les poches de D'Angelo. « *Mémorandum pour le capitaine* », manquait plus que ça.

– Première fois que j'en entends parler. Un mot pour moi ? À ce stade de l'enquête, c'est capital.

– Tu ne m'écoutes pas. On remballe.

– Cette note m'était-elle personnellement adressée, oui ou non, *dottore* ? Si oui, j'exige qu'on me la remette.

– On t'en filera une copie, mais dis-toi bien que c'est TER-MI-NÉ. Je vais personnellement interroger la pute black et puis…

– On l'a déjà interrogée. Le compte-rendu de l'interrogatoire est sur votre bureau.

– Ouais, bon. J'ai besoin de son témoignage pour clore l'affaire. Comme quoi elle a vu la Moldave embarquer Nino, etc. Et puis, ça ne va pas être désagréable de la serrer, celle-là.

– Irina Radic était roumaine, pas moldave, et Nino n'a jamais été avec elle. Tous les témoignages convergent sur ce point.

– Roumaine, moldave, qu'est-ce qu'on en a à foutre ? Tu m'emmerdes, mon vieux.

Jacopo soupira. *Mon vieux.* Ne répondit pas. *Mon vieux.* Se leva de sa chaise. Mattotti lui ordonna de se rasseoir, le sommant de revenir, et alors que le capitaine refermait doucement la porte, il s'élança derrière lui, le suivant dans le couloir et le rappelant dans son bureau. Hurlant qu'il en avait marre d'être pris de haut. Marre de son manque de respect. Hurlant tout ce qu'il pouvait. Hurlant :

– C'est la mise à pied, tu entends, capitaine ? Tu ne vas pas me pourrir l'affaire. Tu te prends pour qui ? Tu n'es qu'un minable, un pauvre type. Fous-moi le camp !

Va te faire foutre. Va-Te-Faire-Foutre. Mon vieux. Oh putain. Je suis crevé. Crevé.

– Je signe où ? Pour faire sortir Kadi Noor... Pour mettre fin à sa garde à vue, oui. Je sais ce qu'a dit Mattotti. J'en prends la responsabilité. J'attends ici. Allez la chercher. Combien de fois faut-il que je vous le répète ? Oui, c'est cela. Sous ma res-pon-sa-bi-li-té.

Qu'il aille se faire foutre, Mattotti. L'ADN de Nino sur Irina, mais pauvre con : l'ADN de nous tous, oui. Le mien aussi. Mes larmes quand je l'ai couverte de ma veste. Ma sueur, celle de mes hommes. Et alors ? Ce n'est pas moi qui l'ai tuée. Connard. Et l'ADN de Nino, on ne l'a pas retrouvé sur les filles tuées dans le Chianti. Ni sur Benedetta Donati. Il veut que je prenne ma retraite ? Qu'à cela ne tienne. Bye-bye. Tout lâcher. Foutre le camp. Fracasser la tirelire. Se barrer dans le Montana. Emmener les filles avec moi. Inviter Kadi. La leur présenter. Pourquoi pas ? C'est une amie. Papa a une petite amie, eh oui. Une tente au bord du torrent. Une casserole pour faire du café. Une grille pour cuire les truites. Pas de portable, pas de radio. Laisser le monde aller où il veut.

– Comment ça, elle n'est plus là ? Qui a signé sa sortie ?... Confidentiel, mon cul... Libérée sur ordre du procureur ?... Je vais très bien. Foutez-moi la paix.

Jacopo

Florence. *Comando* des carabiniers. Le téléphone dans le bureau de Jacopo sonna pendant qu'il ramassait ses affaires. Il finit par soulever le combiné d'où sortit la voix de Bella. Excitée :

– Hé, capitaine. T'es assis ?

– Non, je range mon bureau. Je me casse.

– Tu t'es encore frité avec la Limace ?

– Oui. Il m'a suspendu.

– Merde, ça tombe mal. À part toi, je ne vois pas à qui raconter ce que j'ai découvert. Le lien, le putain de lien, grand chef. Celui qu'on cherche depuis le début. Enfin, ça y est. J'ai mis la main sur le mouchoir.

– Doucement, Bel. Quel mouchoir ?

– Celui qui avait été retrouvé sur les lieux du dernier meurtre du Monstre.

– Tiens donc ! Nino aussi m'en avait parlé. Il l'avait cherché parmi les pièces à conviction de 1985. Sans succès.

– Comme moi. Mais en fait il n'était pas rangé avec les preuves de 1985 parce qu'en 2004 le chef de la police Giuttari avait demandé qu'il soit analysé en utilisant les nouvelles méthodes. Sauf qu'on n'avait aucun ADN auquel le comparer, et donc il a été classé de nouveau. Dans un carton qui est resté chez nous. J'ai eu une intuition de génie en allant fureter dans nos archives ! J'ai refait les analyses. Et paf ! la concordance était là. Le seul ADN commun à toutes les victimes, je souligne, *toutes les victimes*, a un allèle qui... Je ne vais pas te faire un cours. Le sang sur le mouchoir est celui du père biologique de notre tueur actuel.

– Tu en es sûre ?

– À 99,99 %. Le chromosome Y se transmet en bloc de père en fils, c'est aussi simple que ça. Sauf que...

– Je sais. On ne peut pas matcher l'empreinte dans une banque de données. Tu crois que je n'y ai pas pensé ? En France, ils ont le FNAEG. Presque trois millions de profils génétiques. Et nous...

– Trop bête, non ? Mais tu vois, il se trouve que j'ai une amie à Washington. On a suivi le même cursus, on s'est spécialisées ensemble. Là, elle travaille dans un service ultra-confidentiel, je ne te fais pas un dessin. J'ai bravé l'interdit. Elle aussi. On a introduit notre ADN dans son ordi. Mais hé, écoute, grand chef ! En s'y prenant bien, à l'heure actuelle on peut non seulement savoir si tu es un homme ou une femme, mais aussi connaître la forme de ton visage, le lieu d'où tu viens, et…

– Bel. Je vais t'étrangler.

– Je n'ai aucune intention de t'en dire plus sur ton téléphone de bureau, capitaine.

– C'est si grave que ça ?

– Même les paranos ont des ennemis. Je te rappelle quand je sors du labo.

Nino

Monsieur Lemoine, si vous avez ce mail, c'est que je ne suis plus là pour vous dire ce que je sais. C'était le risque à courir, j'ai joué avec les forces du Mal, je n'ai pas pu m'arrêter. Je vous demande pardon, tout ceci est allé beaucoup plus loin que je ne le voulais, alors voici, Helter Skelter est quelqu'un qui a du pouvoir, beaucoup de pouvoir, c'est la Rose rouge qui est derrière tout ce qui arrive, on n'ira pas au bout de cette affaire pour protéger des gens haut placés, ils font partie de ceux qui comptent, nos institutions nous manipulent, l'enquête va être sabotée, peut-être ira-t-on jusqu'à m'attribuer une responsabilité que je n'ai pas, je suis à l'échelon le plus bas, ce n'est pas compliqué de m'avoir, la Rose est partout, dans la police et la magistrature, elle entretient aussi de bons contacts avec la presse, et la presse va relayer l'idée que « ce n'est pas possible » jusque dans la population, c'est déjà arrivé plein de fois chez nous, en Italie, je ne m'en rendais pas compte, mais si je ne suis pas là pour vous en faire part, c'est que la Rose m'a eu, alors écoutez-moi : allez dans l'église de Santa Maria Vergine della Croce al Tempio, c'est un oratoire désaffecté, j'ai toutes les raisons de croire que votre fille est là-bas, je vous en prie, dépêchez-vous, de là où je suis je vous accompagne en pensée, je n'ai pas voulu le mal, j'étais moi-même un rouage, alors aujourd'hui que j'ai payé mon âme est en paix, priez pour moi si vous le pouvez, signé Nino D'Angelo, appuntato *des carabiniers.*

Indiana

Église Santa Maria Vergine della Croce al Tempio. La confrérie des moines noirs, au XIVe siècle, avait valu au lieu de culte ce nom de Sainte-Vierge-Marie-de-la-Croix-au-Temple. Les religieux y attachaient les mains des prisonniers puis les suspendaient à un anneau, corde passée au cou, pieds effleurant le sol. Ensuite ils célébraient l'office des morts jusqu'au petit matin. Abandonnée depuis plusieurs années, la bâtisse tombait en décrépitude, étouffant entre ses murs les suppliques des condamnés qui y avaient vécu leur dernière nuit dans les tourments. Miséricorde de l'Église, qui brûlait les hérétiques pour les purifier.

À cette heure-ci – l'heure à laquelle, alentour, la ville sacrifiait aux délices de l'apéritif –, l'intérieur de l'église était envahi par les ombres qui jouaient entre l'autel et les quelques bancs ayant réchappé à la dévastation. La jeune fille n'avait pas mangé depuis deux jours, car l'homme n'était pas venu la visiter. Elle l'entendait aller et venir au rez-de-chaussée. Pour la première fois depuis qu'il l'avait enfermée dans la minuscule crypte souterraine, il n'était pas seul. Quelques murmures lui parvinrent aux oreilles, puis une plainte, comme si quelqu'un pleurait, ou implorait, ou mendiait quelque chose qu'on ne lui donnait pas. Ça lui était arrivé aussi. La jeune fille se recroquevilla. Puis s'assoupit de nouveau.

Jacopo

Quel merdier. Ouais. Et où était Kadi ? Pourquoi ne l'avait-elle pas appelé ? Mais il était flic, nom de Dieu. Est-ce qu'elle faisait la différence entre lui et cette tête d'œuf de Mattotti ? Pourquoi avait-elle été relâchée sur ordre du procureur ? Quel intérêt portait Pamela Casson à l'Ivoirienne ? Ou n'était-ce pas plutôt son substitut Paul Richard, cette espèce de Quasimodo, qui l'avait remise en liberté ? Quoi qu'il en soit, et pour autant qu'il sache – pas grand-chose en vérité –, il ne voyait qu'une personne chez laquelle elle aurait pu se réfugier : le professeur. Merde, merde ! Pensant, *Quel con, mais quel con. Allez, ravale ta fierté, ma poule. Va voir si elle est chez son camarade. Tu peux vivre avec ça.* Son portable sonna. Jacopo se rangea sur le bas-côté et répondit. Lorsqu'il raccrocha, il continua de fixer son pare-brise, le téléphone toujours à la main, l'image d'un Rubik's Cube fracassé dansant devant les yeux.

Bella lui demanda plusieurs fois s'il était seul. Elle lui répéta qu'elle n'appelait pas de son portable. Complètement parano, en effet. Il y avait de quoi. Le nom que son amie avait sorti de l'ordinateur central était celui du juge d'instruction, Battista Montesecco. Qui venait de faire un stage au siège du FBI à Quantico. Ce nom, Jacopo l'avait pris en pleine figure, un boxeur qui esquive un coup droit et encaisse un crochet à gauche. M. Je-Me-La-Pète Montesecco. Ce trou du cul suffisant. Et son air d'être né avec une cuillère en or dans la bouche. Il n'imaginait pas ce type capable de désosser un poulet. D'ouvrir une truite... Non, ça ne collait pas. Peut-être avait-il touché les cadavres. Peut-être même était-il amateur de chair morte. Contamination de preuves, d'accord. Mais un meurtrier ? Est-ce que Kadi était en danger ? Et lui, que pouvait-il faire de plus, puisqu'il était suspendu, « tricard », ainsi que l'avait dit le professeur ? En appeler à sa brigade était hors de question. Il se devait de protéger ses carabiniers. Quant à Mattotti... Est-ce que son chef était juste un abruti qui faisait son boulot n'importe comment, mettant le couvercle sur une affaire qu'il ne voulait pas creuser, ou... Jacopo eut du mal à aller plus loin. *Respire.* Vertige. Nausée. *Respire.*

Garé à l'endroit où il s'était fait attaquer la dernière fois – le seul un peu discret dans le voisinage du monastère –, le capitaine observait.

Aucune trace de l'Ivoirienne. Tout était mort, fermé, inhabité à Tosina. Volets clos. Ce fut alors que Miles, froissé, suant, en survêtement, sortit de chez lui, verrouilla, et alla vers son Rav 4. Un chien l'escorta jusqu'à la voiture, aboyant lorsque le prof lui ferma la portière au nez. Il démarra. L'animal le suivit. Le professeur s'arrêta, rouvrit la portière et le chien sauta à bord. Le Rav 4 fila, prenant la direction de Florence. Le capitaine posa les doigts sur ses tempes. Il ne savait plus où il en était. Ailleurs, fourbu, sonné. Trop de nuits à ne pas dormir. Son corps lui faisait mal, gorge en feu, épaules raides, dures comme du béton. Reins et bas du dos rompus. *Crevé. Poser ma tête quelque part. Dormir.* Il laissa son regard vaguer sur les draps qui voletaient dans la haie. On aurait dit des fantômes. Il trouva l'image reposante. La lune venait de se lever sur ces vallées d'une douceur à vous arracher des larmes, un monde si beau, un monde si désespéré. Se rappelant la lame froide qui lui caressait la poitrine, ses veines grouillantes de cafards, son sang qui charriait des tessons de verre.

Miles avait pris de l'avance. Jacopo détala derrière lui sur la route en lacets. Le professeur conduisait comme s'il avait un rendez-vous, comme s'il était poursuivi par des démons. Le capitaine ouvrit sa boîte à gants, fouilla dedans, en sortit un tube d'aspirine dont il avala deux comprimés. Un feu d'artifice explosa dans sa gorge, il but une rasade d'eau de la bouteille qu'il gardait sur le siège passager, faillit de nouveau perdre de vue la voiture devant lui.

Obéissant aux spectres dansant dans la brise, à leurs chiens noirs hurlant de peur, les deux hommes se dirigèrent vers le centre-ville en priant leur dieu, des dieux affamés, cruels et sanguinaires, les dieux qu'ils avaient mérités chacun à sa manière, et s'ils avaient su à quel point ils étaient semblables et frères, enfermés tous deux dans la douleur et la rage, dans leur corps vieillissant défait blessé, leurs amours naissantes leurs amours trahies leurs amours mortes, ils auraient compris que ce qui les portait à s'affronter sur le terrain qu'ils avaient toujours évité, toujours éludé, celui du mal absolu, du mal qui renaît, du mal lumineux comme cette nuit de lune florentine d'une douceur à crever, ils se seraient donné la main et auraient avancé ensemble, unissant leurs forces dans l'assaut. Les tilleuls avaient perdu leurs fleurs mais leur parfum subsistait, et l'odeur de la peur courait sur leur peau, l'excitation de la peur courait dans leurs artères, ils allaient livrer le dernier combat et leur corps le savait, leur corps encore vigoureux mais déjà flétri, leur corps usé par toutes les guerres dans lesquelles ils allaient, tous les deux, puiser encore une étincelle de rage, et cette force qui fait des hommes ce qu'ils sont. Cette puissance aveugle et obtuse, cette merveille brute qui est aussi leur fragilité.

H.S. (Helter Skelter)

« *Helter Skelter* » est une chanson des Beatles, écrite par Paul McCartney mais créditée Lennon-McCartney sur l'album *The Beatles* (également appelé *White Album*). Ce morceau est souvent évoqué comme l'un des précurseurs du genre heavy metal.

En Grande-Bretagne, le mot « *helter-skelter* » désigne une attraction de fête foraine, un toboggan en spirale sur une tour par où l'on monte. Les Beatles ont enregistré plusieurs fois la chanson durant la réalisation de l'album blanc. Lors de la séance du 18 juillet 1968, une des versions de la chanson durait vingt-sept minutes et onze secondes ; elle était lente et hypnotique. La prise deux est publiée sur *Anthology 3*. Après dix-huit versions de « *Helter Skelter* », Ringo Starr lança ses baguettes dans le studio et s'écria, « *I got blisters on my fingers !* J'ai des ampoules aux doigts ! » Les Beatles ont conservé le cri de Starr en stéréo sur la version finale de la chanson. Le volume sonore de l'enregistrement descend graduellement aux alentours de 3:40, et remonte par la suite, créant un faux *fade out* laissant penser que la chanson est finie, alors qu'elle revient à la charge. Le 18 juillet, lors d'une autre session d'enregistrement, pendant que Paul enregistrait la voix, un cendrier prit feu et George Harrison mit ce dernier sur sa tête et courut à travers le studio.

La version mono s'achève sur le *fade out*, sans le cri de Ringo Starr. Au départ, cette version – qui sortira plus tard sur *Rarities* – était indisponible aux États-Unis car presque tous les albums étaient en stéréo.

À la fin de la version stéréo, John Lennon réalise un solo de saxophone, qu'il conclut par un « *How's that ?* » audible dans la version finale. (Source Wikipedia.)

Le cinquième ange sonna de la trompette, et je vis une étoile qui était tombée du ciel sur la terre.

Et je vis les chevaux : ceux qui les montaient avaient des cuirasses couleur de feu, et d'hyacinthe, et de soufre.

Au-dessus était l'ange de l'abîme, appelé en hébreu Abaddon, en grec Apollyon, et en latin l'Exterminateur.

Les têtes des chevaux étaient comme des têtes de lions, et de leur bouche il sortait du feu, de la fumée et du soufre.

Par le feu, par la fumée et par le soufre qui sortaient de leur bouche, les hommes furent tués.

Ce jour-là, les hommes chercheront la mort, et ils ne la trouveront pas ; ils désireront mourir et la mort fuira loin d'eux.

Sur leur tête il y avait comme des couronnes ressemblant à de l'or, et leurs visages étaient comme des visages d'hommes.

Dans l'église désaffectée de Santa Maria Vergine della Croce al Tempio, la sono était au maximum. L'homme avait libéré Indiana et la tenait dans ses bras. Au plus profond de la terre les dragons ondoyaient, à l'affût, dans les eaux de cristal brisé. Attendant la créature qui allait venir nager avec eux. *Maman. Maman. Aide-moi, je t'en prie.*

L'étoile tombe. S'ouvre la porte de paix.

Nonnie

Mulholland Drive, cette nuit-là, la dernière. Indiana endormie dans la Camaro rouge sang, moi à tes côtés, quand un homme met sa femme et sa fille en danger à cause de ses faiblesses de son inconséquence de sa cruauté de ses péchés, quand il les livre à d'autres hommes à cause de ses erreurs ou de sa complaisance, il est leur complice et participe à la violence qui leur est faite par sa lâcheté, nous les femmes sommes vos butins vos victimes vos trophées, mon amour, comme je t'ai aimé, comme je te hais, j'étais ta princesse, j'y croyais, tout ce que tu m'avais promis le matin où tu m'as dit que tu m'aimerais à jamais, nus dans la lumière entrant à flots café sur l'oreiller, cheveux épars pas envie de me lever, et toi qui me taquinais et promettais tout l'amour du monde à jamais en m'embrassant, sein gauche sein droit, en bas plus en bas, oh, mon amour, plus jamais mal, plus jamais faim soif froid, tu serais à mes côtés et je t'ai épousé, trust me, baby, *ton dernier souffle ou le mien, rien ne nous séparera, combien de temps dure l'amour d'un homme, robe blanche, sang noir, sur cette route comme au cinéma toi Indiana et moi, la femme que tu as épousée que tu as trahie que tu ne touches plus, cette femme que tu pourrais tuer je le vois à tes yeux quand tu évites les miens, tu adorais mon sourire autrefois mais là tu n'en peux plus, ta manière de te détourner, oh vraiment tu crois que je ne m'en étais pas aperçue, pourquoi penses-tu que j'ai ouvert la porte de ton bureau sans prévenir, j'ai essayé de te rattraper tu étais déjà parti, trop tard, Nonnie, c'est rapide un homme, un serpent un léopard des neiges un colibri, incroyable comme ça s'en retourne vite dans son fourré, pas vu pas pris, et tu restes là à te lécher les plaies, t'as qu'à crever, pauvre idiote, un homme ça se tient au collet ça se tient au lasso ça se tient par les couilles ça se tient par où tu veux mais ça se tient bien court bien serré car tout seul il n'arrive pas à marcher droit, pauvre chou, si vite distrait, l'amour libre, l'amour gratuit ça n'existe pas après les six premiers mois, le mariage ça sert à ça, un homme sans chaînes s'en ira renifler plus loin et oubliera le chemin du retour, j'ai perdu dix kilos, plus de hanches plus de fesses, pauvre Nonnie, ta belle salope elle n'en manquait pas, je les ai vus tu sais tes yeux comme fous quand je suis entrée dans ton bureau, tu m'aurais abattue sur-le-champ si tu avais pu, mon mec à moi, mon amoureux, qu'est-ce qui t'est arrivé pour que tu oublies notre nuit de pleine lune assis sur ce lit blanc où nous nous voyions comme en plein jour, draps froissés et la fenêtre ouverte, voici ton époux fais-lui confiance, Mulholland Drive maintenant, Indiana dormait, tu conduisais en silence, le soir tombait, nous nous sommes garés sur cette aire d'où on voyait la ville, les lumières qui s'allumaient les unes après les autres, les feux qui clignotaient, c'était comme un bruissement d'eau qui venait d'en bas, et mes yeux se sont remplis de larmes quand je me suis souvenue de ce ruisseau que nous avions remonté ce premier été ensemble grimpant jusqu'à la cascade d'où il jaillissait et plus loin encore, là où, à la roche usée, pantalons retroussés déchaussés riant trempés de sueur nous avions bu, nous nous étions éclaboussés puis avions fait l'amour, et tu m'avais dit dix fois, vingt fois que tu m'aimais et je t'avais cru, le soir ce dîner si mauvais dans ce restaurant laid, nous avions faim et il n'y avait rien à manger et rien à boire, même le vin était aigre, nous avions tellement ri, ventre vide nous nous étions couchés le lit était glacé mes pieds tes pieds entortillés les oreillers gelés, la couette tombée mais nous n'avions plus faim plus froid tant de baisers derrière le Velux les étoiles tout près en fermant les yeux je les ai vues tomber, mourir, mon chéri, dans tes bras à ce moment-là quelle bénédiction ç'aurait été, avant que tu me trompes me trahisses me haïsses avant que tu me regardes comme tu étais en train de le faire, pitié, mon amour, Mulholland Drive c'était déjà presque la nuit, je t'ai regardé je t'ai souri je t'ai tendu la main doigts écartés et toi, oh pitié*

Helter Skelter

8-9 août 1969. 10050 Cielo Drive, Los Angeles. Où sont les anges, cette nuit-là ?

Les chiens aboient après les quatre coups de fusil tirés à distance rapprochée, là-bas, au fond de la propriété. Le jeune homme dans sa voiture meurt ainsi, sans savoir pourquoi, sans comprendre ce qui lui arrive. Qui se souvient aujourd'hui de ce qu'il faisait dans la vie, de ce qu'il désirait, de qui il était amoureux. Il n'en reste qu'un nom et deux dates, *Steven Earl Parent, 12 février 1951 – 9 août 1969.* Le trait. De toute façon, cette nuit-là, ce n'est pas lui le protagoniste. Steve est sur les lieux parce qu'il voudrait vendre une radio à son copain qui habite la *guesthouse*. Au mauvais endroit au mauvais moment. C'est donc ça, la destinée ?

Linda Kasabian fait le guet dans la vieille Chevy grise tandis que Susan, Katie et Tex, pieds nus et habillés de noir, s'introduisent dans la maison. C'est le garçon qui, entré par une fenêtre, ouvre la porte principale à ses amies. Nous sommes dans les années 1960, personne ne ferme à clé, même pas les stars de cinéma. Aucune sentinelle armée dans le domaine, le gardien écoute de la musique dans sa maisonnette et les chiens sont enfermés, à part Prudence, le yorkie bien nommé de Sharon qui pèse à peine plus de deux kilos. Tex aurait pu éviter d'entrer comme un voleur. Mais il faut faire les choses bien, c'est-à-dire mal. Quelle pièce se joue dans le cœur de ces jeunes gens pour qu'ils recèlent cette avidité de massacre ? Car ils ne cherchent pas le vol ou le viol, mais traquent la terreur et le supplice. Ôter la vie à ses semblables est un acte habituel au cours d'une guerre – et pas seulement –, mais pourquoi ce besoin d'aller le plus loin possible dans le Mal ? Tous les trois – tous les quatre en comptant Linda – ont été choisis et envoyés ici par leur chef.

Leur chef s'appelle Charles Manson, c'est un type étrange qui vit dans un ranch parmi ses belles et jeunes amoureuses, des fleurs dans les cheveux et une guitare à la main. Il danse et chante toute la journée, fume de l'herbe et prend du LSD, fait l'amour et des enfants, adore les chiens et les chevaux. Né d'une mère prostituée de seize ans, droguée et alcoolique, et de père inconnu, il n'a pas été à l'école, a passé la plupart de sa vie derrière les barreaux, porte des pantalons en daim et des gilets à franges, et soutient qu'il est à la fois l'incarnation du Christ et de Lucifer, l'ange préféré du Père, tombé par orgueil en s'opposant à Dieu. Le frère du Christ, maudit pour l'éternité. Charles est musicien et poète, le visage empreint d'une beauté saisissante. Lorsqu'il vous fixe, ses yeux s'enfoncent dans votre âme pour déceler ce que vous avez de plus secret : votre peur et votre besoin d'amour. Il est maigre comme un moine et ne mesure qu'un mètre cinquante, mais suivez-le et vous découvrirez le soleil dans les ténèbres. C'est un saint de l'enfer, le bouc éternel. C'est l'outil dont le Divin se servira pour faire de vous un être doué de libre arbitre. Ou le serviteur des Ténèbres.

Voytek Frykowski dort déjà. Il est tard, ses amis et lui reviennent d'un dîner à l'El Coyote, il a mangé et bu, la journée a été longue, même se reposer au bord d'une piscine est fatigant si on le fait depuis 9 heures du matin. Lorsque Tex s'approche de lui, il se réveille : « Quelle heure est-il ? » Il ne connaît pas le garçon, « Qui es-tu ? » La réponse le laisse perplexe, « Je suis le diable et je suis venu faire mon travail. » C'est Susan qui lui attache les mains avec une serviette. Pourquoi avec une serviette, qui est la chose qui se défait le plus facilement ? Ensuite elle va dans la chambre où la fiancée de Voytek est en train de lire. Abigail la regarde et sourit. Susan raconte par la suite, « J'ai senti que le courant passait entre nous. Je l'ai trouvée sympathique. » Elle ordonne à la jeune femme de la suivre dans le salon. Pourquoi Jay Sebring, l'ancien amoureux de Sharon, est-il habillé comme s'il allait partir ? Chaussures de ville, pantalon rayé noir et blanc, chemise sombre. Tous les deux sont en train de discuter dans la chambre de Sharon, tellement absorbés qu'ils ne se sont aperçus de rien. Ils ne savent pas qui sont ces jeunes gens qui ont envahi la maison. Ils n'ont pas l'air bien méchants, trois filles, fraîches et jolies, et un jeune homme avec une bonne tête. On les dirait tout droit sortis de Woodstock. Ils ont probablement besoin d'argent. Pas de quoi paniquer. Sharon en nuisette, soutien-gorge et grande culotte confortable, suivie de Jay, rejoint ses amis au salon. Son enfant lui gonfle le ventre, il devrait naître le même jour que son père, Roman, le 18 août.

« À partir de ce moment, je ne me souviens plus exactement de ce qui s'est passé. » Susan Atkins, Sexy Susan, Sexy Sadie, se revoit dans l'action comme une personne extérieure à elle-même. C'est l'une des conséquences des chocs émotionnels, la souffrance et l'horreur font écran au souvenir intime. Les trois filles et le garçon attachent ensemble Sharon et ses amis, jetant la corde par-dessus la poutre, mais Jay Sebring se libère et menace Tex, « Putain, mais qu'est-ce que vous faites ? » Tex pointe son arme vers lui et tire. Jay tombe. Sharon crie, « Mon Dieu, non ! » Abigail est paralysée. Il faut du temps pour que le cerveau puisse affronter la mort soudaine. Personne dans la maison n'y est préparé. C'était une journée calme, douce, banale. Un samedi normal des années 1960 à Bel Air, Los Angeles. Le dernier quartier de lune brille à travers les fenêtres. Le mal se cachait dans les plis du réel, attendant tranquillement son heure. L'heure a sonné. Le massacre peut commencer.

Voytek a réussi à se libérer après une brève bagarre avec Susan. Il est en train de courir – comme il peut, car la jeune fille lui a enfoncé plusieurs fois son couteau dans une jambe – vers l'extérieur. Il est déjà hors de la maison lorsque Tex tire, puis le rattrape et le frappe sur la tête avec la crosse du fusil. Si violemment que l'arme se brise en deux. Alors il le poignarde. Encore et encore et encore. Dix fois, vingt fois, trente fois. Cinquante fois. Sharon aussi s'est libérée, et tandis qu'Abigail lutte avec Katie, elle essaie de s'enfuir. Mais Susan la tient. Elle supplie la jeune fille, l'implore de lui laisser avoir son enfant. « Femme, je n'ai aucune pitié de toi », lui répond Susan. « Je sais qu'à ce moment-là ce n'était pas à elle que je parlais, mais à moi-même », avouera-t-elle par la suite.

Abigail est déjà dans le jardin. Tex la suit et la poignarde aussi. Sa chemise de nuit est blanche. Elle reste blanche pendant un moment, puis, lorsqu'elle tombe, «sa chemise est devenue rouge, tout d'un coup ». Tex rentre, contemple Susan

qui retient toujours Sharon et lui dit, « Tue-la. »
« J'ai répondu, "Tex, je ne peux pas, il faut que je la tienne. Tue-la, toi." Alors il est venu vers nous. Sharon était dans mes bras. Elle ne bougeait pas, ne tremblait même pas. Sa peau était glacée. Elle était sans forces. Et Tex l'a frappée à la poitrine. Puis partout. Longtemps. Elle a glissé à terre. J'ai jeté une serviette sur elle, je n'en pouvais plus. Tex m'a rattrapée sur le seuil, m'a demandé de revenir pour écrire quelque chose avec son sang. Alors j'y suis retournée. Elle était morte, mais son bébé vivait encore. J'aurais voulu le sauver. Il allait également mourir si je ne faisais rien. Mais je n'ai rien fait. J'entendais un bruit d'écoulement, quelque chose d'obscène. Je me suis penchée. J'ai pris la serviette, je l'ai plongée dans la flaque et j'ai écrit *Pigs* sur la porte. »

Dans une autre version de ses aveux, Susan déclare : « Je lui ai dit, "Je n'en ai rien à foutre de ton gosse, salope. Tu vas crever et c'est tout." Quand ç'a été fini j'ai mis un doigt dans ses plaies et j'ai goûté son sang. Il était dense, exquis. Ça m'a envoyée en l'air. »

La lune brillait toujours dehors, éclairant faiblement la Camaro jaune pâle de Sharon. Elle qui ne jurait que par sa Ferrari rouge avait été obligée de conduire sa voiture chez le garagiste à cause d'une panne idiote. Ses amis s'étaient moqués d'elle ce jour-là, « À quoi ça sert d'avoir une Ferrari si on ne peut pas rouler avec ? » Sharon, ça ne la faisait pas rire du tout. Elle adorait sa Ferrari. Sa Ferrari rouge sang. Une jeune femme gâtée par la nature et la destinée, mais d'une grande gentillesse aux dires de tout le monde. Une jeune femme belle comme c'est pas permis, folle amoureuse de son mari, avec une carrière de star toute fraîche et des amis qui auraient fait n'importe quoi pour elle. Une de ces vies dont on se dit qu'elles ont été bénies par les étoiles. Et elle ne voulait rien d'autre qu'avoir son bébé. Au cours de l'autopsie, on allait le sortir du corps de sa mère et l'enterrer dans un linceul blanc de neige à ses côtés. Sharon Tate Polanski, habillée d'une minirobe Pucci jaune et vert, repose dans un cercueil argenté, avec son enfant dans les bras. Elle lui avait déjà trouvé un nom. Paul Richard.

Helter Skelter

Église de Santa Maria della Croce al Tempio. Paul Richard est descendu la chercher dans la crypte, sans ôter le bandeau qu'elle a sur les yeux il l'a détachée, et, la poussant devant lui, il lui a fait monter l'escalier pieds nus. La jeune fille a avancé à tâtons dans les odeurs de salpêtre, de cire chaude, de crottes de souris, de bois rongé. Des odeurs de morts que personne ne pleure plus. Comme s'ils n'avaient jamais existé.

Maintenant il déboutonne le haut, dégrafe le bas, fait tomber la longue robe de la jeune fille, recule d'un pas et l'embrasse du regard. Indiana hoche la tête, des larmes plein les yeux sous son bandeau. Il la contemple, cheveux noirs flottant sur les épaules, ombres sur le marbre et sur sa robe tombée, entre un saint à la renverse et un cierge allumé. La lumière du dehors joue sur la rosace dorée.

Elle lève son visage aveugle vers lui. Elle connaît les mains comme des pattes, ongles griffus, les poils sur les phalanges, la poitrine large sous la chemise, les jambes tordues. Elle le regarde aveuglément puis tourne la tête vers le plafond, vers ces anges joufflus bleu et rose jouant à cache-cache autour d'un Dieu à longue barbe courroucée qu'elle ne peut pas voir. Elle baisse la tête, des larmes plein les yeux sous son bandeau, la robe une corolle à ses pieds. La porte couine dans le silence plein, lourd, habité. Un bruit absorbé par d'autres bruits qui viennent de l'extérieur, voitures qui s'arrêtent au feu, passent au vert, centre-ville de Florence un soir d'été, les gens aux terrasses, un ou deux verres, on souffle un peu. Derrière ces murs centenaires cette porte cloutée une autre réalité, un autre film, une autre vérité. La jeune fille nue se tient droite, bras le long des flancs, visage aveugle, bandeau sur les yeux. Frissons courant sur sa peau. Lèvres pâlies serrées.

Baskets aux pieds, pantalon de jogging noir froissé, T-shirt auréolé de sueur, dans l'éclairage des réverbères, l'orange et l'or des lumières qui dansent sur les murs, Miles entre dans la nef, avance parmi les saints abattus, les bancs renversés. Marche vers l'homme qui lui tourne le dos. Leurs deux ombres projetées par cette lumière orange et or derrière les vitraux se découpent sur les marbres cendrés, sur les mosaïques usées, sur les tombeaux scellés par la poussière qui danse, argentée. Sang qui bat, veines gonflées, soif de tuer, la bouche sèche, pas une goutte de salive, impossible d'avaler,

Miles se meut, rapide, silencieux. Il s'arrête derrière l'homme qui ne l'a pas entendu. En allongeant le bras et l'attirant vers lui il pourrait le tuer. C'est l'une des premières techniques qu'on vous apprend dans les forces spéciales de n'importe quelle armée, l'une des plus efficaces aussi, avant-bras gauche autour du cou de l'adversaire, os de l'avant-bras sur sa pomme d'Adam, partie arrière du bras droit sur son épaule droite, main droite sur la nuque, tirez en arrière et poussez sa tête vers l'avant, pas besoin de forcer, une économie de gestes, la colonne vertébrale se brise d'un coup sec, terminé. Miles hésite une seconde de trop tandis que l'homme détache le bandeau d'Indiana. Qui cligne des yeux.

– Papa.

Un sanglot.

– Papa.

Une seconde de trop et ça suffit pour que l'homme attrape le couteau posé sur l'autel jouxtant le prie-Dieu, ça suffit pour qu'il en enfonce la pointe dans le sein de la fille. L'agrippant par les cheveux, tête relevée. Et la lumière est si douce, rouge et orange et dorée, on dirait un rêve, c'est lent, ça n'en finit pas d'arriver, et l'homme dit sans se retourner :

– Restez où vous êtes, professeur, ou je lui arrache le cœur.

Première leçon des ténèbres.

Indiana

Mulholland Drive. Tu croyais que je dormais cette nuit-là, papa, la nuit où ils ont pris maman, mais tu sais, j'ai fait semblant toutes ces années. Semblant d'être une petite fille sans problèmes, une jeune femme équilibrée. Combien de fois je me suis réveillée terrifiée comme si j'y étais encore, dans cette Camaro. Cette Camaro rouge sang. Vous n'aviez pas verrouillé les portières en sortant. Je vous ai vus disparaître dans la nuit, d'abord maman, puis toi. Et ensuite, je l'ai vue revenir, et pas toi. Avec ces hommes qui la traînaient, qui la poussaient dans la voiture cabossée garée près de la nôtre. Un d'eux a jeté un regard à l'intérieur de la Camaro. Il a dit quelques mots aux autres et a rappliqué. Je savais comment bloquer les portières, tu le faisais toujours quand nous traversions les « quartiers à risques ». J'ai poussé le bouton, entendu le déclic. L'homme s'est penché. Il était de l'autre côté de la vitre. J'avais peur qu'il la brise et qu'il me prenne aussi. Mais il a juste ouvert la bouche, a fait ce geste avec sa langue, un truc de vipère, et il est reparti. La voiture a disparu derrière le virage. Ces hommes, et maman avec eux. J'ai fermé les yeux. Et peut-être, alors, je me suis vraiment endormie. Parce que je ne me souviens pas de ce qui s'est passé ensuite. Mais ils sont revenus. Toutes les nuits, toutes ces années. Et un jour ils m'ont prise, m'ont jetée dans les ténèbres et la peur. Rejetée dans les ténèbres, et la nuit.

Miles

Église de Santa Maria della Croce al Tempio. Les ombres sur le mur, un tableau de Füssli. Paul Richard, un incube près d'Indiana fine, brune, nue dans ses bras. Il est derrière elle, la tient par la taille tout contre lui. Collée à son bas-ventre, l'étreignant. Souffle rauque, en attente, tendu. Le couteau caressant son corps. Indiana muette, pieds crasseux blessés, et cette estafilade plus claire, fine comme une ride avant l'heure près de son œil droit. Une goutte de sueur tombe dans la poussière. Aisselles ruisselantes, dos trempé, Miles murmure :

– Prenez-moi à sa place.

Paul Richard rit :

– Vous n'avez rien, professeur, qui me fasse envie. Alors qu'elle...

Il sort la langue, lèche son cou :

– Pauvres pères. Qui ne connaîtrez jamais le goût de vos filles.

– Quel courage. S'en prendre aux femmes.

– Qu'est-il arrivé à votre épouse, dites-moi ?

– Lâchez Indiana. Je vous donnerai ce que vous voulez.

– J'ai déjà ce que je veux. Marrant quand même. Les pères ne sont jamais d'accord avec ça.

– Je vais vous tuer.

– Peut-être. Mais elle sera morte avant.

La lame appuie sur la carotide puis sur la jugulaire d'Indiana. D'avant en arrière, en un mouvement de scie :

– Reculez. Encore, professeur. Ne m'obligez pas.

Les phares d'une voiture, dehors. Le couteau étincelle. La lumière balaye les murs tatoués d'ombres roses et dorées. Indiana gémit, esquisse un pas vers son père. L'homme réagit, le couteau entame la peau, plaie blanche avant qu'affleure le sang. Indiana, les yeux vides, s'affaisse, glissant d'entre ses bras. Miles bondit. Les deux hommes tombent à genoux. Éclaboussures. La sueur, les larmes, le sang. La poussière sur le marbre absorbe tout.

La nuit a envahi la nef. Plus de phares, plus de lumières venant de l'extérieur. Bougies brûlant devant la niche d'un saint sans bras. Ombres tatouées sur les murs, humidité, odeurs de crypte, poussières d'ossements. Une fille à quatre pattes s'enfuit sous un banc renversé, deux hommes s'empoignent par terre. Lame tenue à pleines mains, leurs doigts mêlés, leurs corps mêlés, Paul Richard, jambes tordues mollets musclés, serre le professeur sous lui, la lame s'approche du menton de l'oreille du nez, ombres rauques sur les murs. Miles hurle. Raclant au fond de sa gorge une boule brûlante de haine de rage de peur, il la crache dans la bouche ouverte au-dessus de lui. Profite de la surprise de son adversaire, prend le dessus dans le combat. Roulé-boulé, genou à terre, il jauge la situation. Indiana est loin. Sous un banc, recroquevillée. Le professeur se redresse, Paul Richard étendu à ses pieds. Le couteau dans sa main étincelle dans l'ombre dorée. Dehors, des jeunes passent en s'esclaffant. Un chien aboie. Tout près.

Jacopo

Florence, quelque part dans la ville, la nuit. Et pourquoi ça lui revenait maintenant, cette odeur de menthe écrasée, une promenade avec Colomba lorsqu'ils étaient fiancés, il y avait de cela des millions d'années lui semblait-il, avant le mariage, avant la naissance des filles. Ils s'étaient embrassés, avaient marché, s'étaient encore embrassés, puis Colomba lui avait dit que l'une des choses qu'elle aimait le plus, c'était marcher pieds nus sur l'herbe, et ils s'était déchaussés tous les deux, les feuilles de menthe sauvage lui chatouillaient les orteils tandis qu'il cheminait à ses côtés, la sensation de l'herbe fraîche lui avait paru désagréable, puis il s'y était habitué et il avait adoré fouler la terre, se sentir ancré dans la terre, il s'était penché pour cueillir quelques feuilles de menthe qu'il avait froissées sous le nez de Colomba et frottées sur ses lèvres, les avait glissées dans sa propre bouche et avait embrassé sa fiancée avec cette saveur entre langue et palais, et ce parfum, et le cœur qui battait comme un fou dans sa poitrine, voilà à quoi il pensait maintenant en cherchant des yeux la voiture du professeur qu'il avait perdue de vue en entrant dans ce quartier de Santa Croce qu'il ne connaissait pas si bien en fin de compte, tous les sens interdits avaient changé, mais qu'est-ce que ça pouvait bien faire qu'il écope d'une amende alors que, il le ressentait dans sa chair, dans ses os, dans tout son être, il fallait qu'il se dépêche de retrouver cette satanée voiture, parce que c'était ce soir que. Que quoi ? Qu'est-ce que ça pouvait bien faire, qu'est-ce que ça allait changer ? Kadi n'avait pas appelé, elle n'appellerait plus désormais, putain de prof, t'es parti où comme si tu avais le feu au cul, mon salaud ? Jacopo tourna en rond, sortit de Santa Croce, traversa l'Arno remontant vers le jardin de Boboli, fila vers chez lui, marre, assez de tout ça, rentrer à la maison, retrouver les filles, boire un verre. Abdiquer. Après piazzale Michelangiolo il s'apprêtait à tourner à gauche mais s'arrêta un instant, ébloui, Florence à ses pieds s'incendiait dans la lune rousse, il fit brusquement demi-tour et, posant le gyrophare sur le toit de sa voiture de flic, revint dans Santa Croce. Baissant sa vitre, il patrouilla, posant cent fois la question, « Rav 4 Toyota gris, un homme de couleur au volant, vous l'avez vu ? » Non, non. Non. Non. Via San Giuseppe un chien aboyait. Dans un Rav 4 garé en double file. Personne à bord. Un chien aboyant à la place du conducteur. Il remua de l'arrière-train tandis que le capitaine le regardait à travers la vitre à moitié baissée. La portière n'était pas verrouillée. Le chien descendit, renifla les mains du capitaine, se retourna pour pisser contre un pneu, traversa la rue. Aboya de nouveau contre la porte d'une église. Jacopo la poussa, faillit trébucher sur le chien immobilisé devant le seuil, se rattrapa d'une main au mur humide, plongea son regard dans les ténèbres ponctuées par la lumière des cierges allumés.

Jacopo

Église de Santa Maria della Croce al Tempio. Le bois grince sur les gonds. Silence. Le chien aboie, gronde, aboie de plus belle. Silence. Le capitaine pénètre dans la nef envahie par la nuit. Entre ces murs tatoués de souffrance, entre ces murs incrustés de cris, Miles debout, couteau à la main. Paul Richard à terre, bras autour du corps. Chemise arrachée et rougie. Le chien aboie, aboie. Jacopo embrasse le tableau d'un coup d'œil. Ahuri. La jeune fille recroquevillée le substitut du procureur couvert de sang le professeur debout devant lui couteau levé. Lorsqu'il parle, sa voix résonne dans un silence étrange :

– C'est fini, professeur. Déposez votre arme.

Poing tendu vers le capitaine dans un geste de supplique, Miles prend une profonde respiration. Il répond dans un souffle :

– Ce n'est pas ce que vous croyez, capitaine. C'est Richard…

Miles, yeux injectés de sang. Sa main serrée en poing tendu vers le capitaine :

– Capitaine…

Jacopo l'interrompt :

– Lâchez ce couteau. Tout de suite.

Miles baisse la tête. Serre les dents. Sa voix dans un soupir rageur :

– Vous devez m'écouter. Je ne peux pas vous obéir.

Le capitaine sort son Beretta, le pointe contre le professeur qui secoue la tête, regard rivé sur le substitut du procureur qui commence à se relever. Il s'approche :

– Monsieur Richard. C'est fini.

Il lui tend la main :

– Venez.

Le chien aboie. Miles pose le pied sur l'entrecuisse de Paul Richard, l'empêchant de faire un geste de plus :

– Restez où vous êtes.

Et se tournant vers le capitaine :

– Vous ne comprenez pas. Encore une fois, laissez-moi vous expliquer.

– D'abord jetez ce couteau et rendez-vous. On parlera après.

– Non, capitaine, c'est vous qui devez…

– Monsieur Richard, approchez.

Miles, pesant avec plus de force sur le bas-ventre du procureur adjoint :

– Vous, vous ne bougez pas.

Le chien aboie.

Paul Richard prend appui sur la main qui n'est pas blessée. Sang et fureur dans la bouche de Miles :

– Plus un mouvement, ou je vous étripe, sale porc.

– Je ne le répéterai pas, professeur. Jetez ce couteau et étendez-vous par terre, bras écartés. Exécution !

– Capitaine, vous faites une énorme connerie.

– Laissez partir M. Richard. Je vous promets qu'on parlera.

– Non.

– À trois je tire. Un…

– Non. Écoutez !

– Deux.

Le Beretta tremble dans la main droite du capitaine, la gauche s'efforce de l'immobiliser. Paul Richard glisse sur ses fesses vers le capitaine. Miles baisse finalement le couteau, bras le long du corps. Il ferme les yeux, lèche sa bouche. Crache. Sang et fureur. Le chien aboie.

Paul Richard debout près de Jacopo tord ses lèvres meurtries. Peut-être sourit-il :

– Merci, capitaine. C'était moins une. Je vous félicite.

– Vous n'êtes pas blessé ?

– On s'en occupera après. Donnez-moi votre arme, s'il vous plaît.

– Comment ?

– Votre arme. Donnez-la-moi.

Miles, fureur et sang. Il crache. S'avance vers eux. Dit :

– Ne faites pas ça.

– Restez à votre place, professeur.

Le capitaine se tourne vers le substitut du procureur, lui tend le Beretta.

Des sanglots dans un coin de la pièce. Indiana. Ses pleurs, larmes noires dans la poussière. Le capitaine s'arrête face à Miles, réclame le couteau. Le professeur fixe le capitaine puis Paul Richard qui le vise sans broncher. Il jette l'arme. La lame décrit un arc de cercle brillant – étincelle argentée dans la lueur orangée –, retombe sous un banc.

Jacopo décroche les menottes. Un goût de menthe lui monte aux narines, envahit son palais. Paul Richard rit :

– Bien vu, ça, capitaine. Passez un bracelet à la cheville de votre camarade…

Il rit de plus belle :

– … et l'autre à votre poignet droit. Allez-y.

Jacopo a l'air d'un homme frappé par la foudre. Sa bouche s'ouvre et se ferme. Il ne bouge pas. Le chien aboie. Miles crie :

– Furia. Couché.

Le chien continue d'aboyer. Le capitaine est toujours paralysé. Il tourne les yeux vers le professeur, puis vers le substitut du procureur. Il ne comprend rien à rien. Et puis, finalement, si.

Paul Richard cesse de rire. Il agite le Beretta dans leur direction :

– Allez, dépêchez.

Pendant que le capitaine s'exécute il recule, le Beretta à bout de bras :

– Lancez-moi la clé des menottes. Capitaine. Comme ça. Merci.

Le chien aboie. Paul Richard se retourne, tire deux fois. Le chien tressaille. Un hurlement, puis en gémissant, il se traîne vers Indiana. Sillon rouge sur le marbre. Paul Richard tire une troisième fois. Le chien ne bouge plus.

Dehors des gens s'arrêtent, surpris. Des pétards ? Des bouchons qui sautent ? Ils passent leur chemin. Continuent leur nuit. Une voiture klaxonne.

Dans l'église, les hommes ont les oreilles qui bourdonnent. Ils sont sourds. La poussière et la fumée ont rempli la nef. Odeur de propergol. De cuivre, de nitrate. De sang. Dans la clameur des tympans, un bruit doux, continu. Les sanglots d'Indiana, le chien muet immobile dans les bras. Ses pleurs, larmes noires dans la poussière.

Vite absorbées.

Deuxième leçon des ténèbres.

Indiana

Mulholland Drive. De cette nuit-là, papa, je ne me souviens plus. Je sais seulement ce que tu m'as raconté. Ce que j'ai compris. J'ai été confiée à une institution. On me traitait gentiment, mais dans mon lit, le soir, je pleurais. Je savais qu'on t'avait mis en prison. Qui me l'avait dit ? Je ne sais plus. Puis un jour tu es venu me chercher, et nous nous sommes échappés. Sans même passer par la maison. Tu nous as acheté une valise, des affaires. Nous avons erré. Dès qu'on était installés quelque part, on repartait. Toi et moi, seuls. Moi à toi enchaînée. Je grandissais. Je te regardais vivre. La nuit souvent je t'entendais de mon lit. Un homme qui pleure, c'est horrible. On dirait que vous n'avez pas les outils pour ça. Chacun dans son lit, on souffrait. Chacun pour soi, sans le dire à l'autre. Ce n'est que beaucoup plus tard que j'ai songé à faire des recherches. Les articles de presse, c'était facile, avec Internet. Ton histoire avec ton étudiante y était relatée, détails croustillants à l'appui. Les recherches pour retrouver maman n'avaient rien donné pendant des semaines, et tout ce temps-là tu étais resté « à la disposition des autorités ». Ta chute était exemplaire, papa. L'Amérique est un beau pays. Elle déploie le drapeau étoilé devant sa porte lorsque ses enfants partent tuer et se faire tuer dans des guerres saintes, mais montrez-lui le moindre bout de sein et elle vous mettra au pilori. Surtout si le professeur est noir et sa jeune élève, blanche. Une tarte à la crème pour les puritains de tout poil. Tu as payé, papa, et j'ai payé avec toi. Et quand on a retrouvé le pauvre corps martyrisé de maman, plus rien n'était possible, ni absolution ni retour. La machine à fabriquer la boue avait fonctionné, nous étions broyés. Nous sommes partis, mais maman nous a suivis. Combien de fois tu m'as retrouvée couchée en travers de la porte de ta chambre. Le matin je me réveillais dans mon lit, où tu m'avais ramenée. Et un jour les hommes qui nous l'avaient volée sont revenus. Mais c'est moi qu'ils ont pris. Tu m'avais juré que plus jamais je ne serais en danger. Et tu vois, tu vois, papa. Encore une fois, tu t'es trompé. Tu ne peux rien pour moi, comme tu ne pouvais rien pour maman. Et si tu ne peux rien contre ces hommes, papa, c'est parce que toi aussi tu es

Indiana, rhabillée de sa loque déchirée, debout. Sale, les cheveux défaits. Pieds nus, blessés. Lorsque le couteau se plante dans ses reins Paul

Richard se retourne et la voit. Debout, cambrée. Cheveux coulant sur les épaules, les fesses. Il pose les mains sur son dos, touche sa blessure, fait bouger ses doigts tachés tout près de ses yeux. Les gouttes tombent dans la poussière. Noires. Vite absorbées.

La jeune fille recule d'un pas. Hoche la tête, des larmes plein les yeux. Cheveux flottant sur les épaules, emmêlés. Ombres jouant sur le marbre, cris résonnant contre les murs. En tombant à genoux l'homme s'accroche à elle. Il lui agrippe les hanches, les genoux. Indiana pose une main sur ses cheveux, lève l'autre bras. Il tend la paume vers elle et Indiana plonge le couteau, encore et encore, et l'homme, enfin, cesse de bouger.

Dernière leçon des ténèbres.

Jacopo

Où vont les soirées d'été, et les rires et la douceur, les verres de vin bus sans y penser, la tendre euphorie qui vous fait vous coucher avec la certitude que demain le soleil vous réveillera et vous serez tout neuf – lavé – guéri ? Où vont les sourires édentés de vos enfants, leurs petits mots mal orthographiés où ils vous disent qu'ils vous aiment plus que tout, leurs dessins d'arcs-en-ciel et de chiens bleus collés au réfrigérateur, et vos vieilles photos en noir en blanc dans les bras de votre mère, et ces magazines que vous lisiez durant l'enfance, des bonbons fluorescents à portée de la main ? Où vont ces premiers baisers dans lesquels vous laissiez une partie de votre âme, et vous étiez prêts à donner votre vie, là, à l'instant même, si l'autre vous le demandait ? Où vont la légèreté, la liberté d'un matin de printemps, où va le bruit d'une feuille qui tombe, où la bataille de boules de neige au cours de cet hiver si froid ?

Jacopo, seul dans la nuit, un verre de vin rouge devant lui, regardait les braises s'éteindre dans la cheminée. Autour de lui la vieille villa bruissait de ses ronflements nocturnes, mulots au grenier, bois qui craque dans les pièces vides. De temps à autre, une chouette hululait dans le parc que l'automne déplumait.

L'histoire de Paul Richard avait fait l'objet de l'attention des médias dans le monde entier. Né le 9 août 1969, jour de la mort de Sharon Tate et de son enfant, le substitut du procureur, qui s'appelait en réalité Paolo Esposito, avait changé le nom qu'on lui avait donné à l'orphelinat et cultivé une obsession pour Charles Manson, qu'il prenait pour son père secret. Lorsque Manson dans sa prison avait annoncé son mariage avec une jeune femme qui ressemblait à Susan Atkins, il avait basculé de la névrose à la psychopathie. La rencontre avec Battista Montesecco avait été déterminante. Ensemble, ils avaient créé leur petit aréopage de cinglés. Ensemble, ils avaient tué. Leurs folies respectives s'étaient mariées. Officiellement, Montesecco avait été victime du tueur en série. Et toujours officiellement, le corps du juge d'instruction n'avait pas été retrouvé. Mais le capitaine avait continué de creuser, et ce qu'il avait découvert était pire que ce qu'il avait imaginé. Le père de Battista Montesecco – celui qui avait laissé son sang sur le mouchoir trouvé sur le lieu du dernier double meurtre du Monstre – s'appelait Giovanni.

Il était né en 1923 à Rome dans une famille de la grande bourgeoisie. En 1943, dans la ville occupée par les nazis, il avait été informateur du capitaine SS Erich Priebke, tristement célèbre pour sa participation dans la mise à mort de trois cent trente-cinq Italiens tués en représailles après un attentat. Il avait ensuite collaboré avec la bande Koch, un commando synonyme de torture et sadisme dépendant du ministère de l'Intérieur de la République sociale italienne. L'une de ces bandes qui sévissaient alors, semblable à celle de Carità di fu Gesù et à d'autres que les autorités couvraient, parce qu'elles faisaient le sale boulot. À la fin de la guerre, tandis qu'il œuvrait comme correspondant sur le front de Trieste avec le rang de sous-lieutenant dans la X MAS, la branche de l'armée ultra-violente du Prince noir Junio Valerio Borghese, il avait été fait prisonnier par les Américains. Arraché aux règlements de comptes des derniers jours de combat par le commandant en chef de l'OSS en personne, il avait été acheminé vers les lignes américaines d'où il avait été exfiltré aux États-Unis. Il avait passé les années suivantes en Bolivie et au Chili, où il avait collaboré avec la fine fleur des droites italienne et allemande à l'opération Condor. Revenu en Italie en 1968, il avait rapidement retrouvé un poste important au sein de l'administration à Rome, s'était inscrit sur les listes de la Démocratie chrétienne puis avait intégré le Sénat. En 1969 il s'était marié avec Tamara Clerici, une Florentine de dix-sept ans, et installé dans la ville. Battista y avait vu le jour en 1970. Tous ces renseignements, le capitaine les avait obtenus par des filières auxquelles il n'aurait jamais osé avoir recours auparavant, même s'il les connaissait depuis longtemps. Des amis de Bella l'y avaient aidé, notamment la jeune femme qui avait obtenu le renseignement sur l'ADN de Giovanni Montesecco. Et les amis de cette amie, dans une chaîne qu'il avait suffi de remonter, avec un peu de patience. Étonnant d'ailleurs à quel point cela avait été facile. Comme si les informations n'attendaient que celui, ou ceux, que cela intéresserait. C'est-à-dire personne. La hiérarchie, Mattotti en tête, avait balayé d'un revers de la main ce qu'on avait appelé la non-preuve du mouchoir. D'autant plus que le bout de tissu analysé par Bella avait encore une fois disparu – et cette fois, sans doute, définitivement. Jacopo avait également alerté Pamela Casson, la procureur. Il lui avait parlé de tout ce qui restait inexpliqué dans l'affaire. Les coups de téléphone anonymes après le premier meurtre. Le fait que l'un des « suicidés », Rosso De' Ducci, était l'agent immobilier qui avait vendu la maison au professeur. L'identité encore inconnue de la dernière jeune femme tuée. Le poème qu'il avait reçu – l'ADN dans l'enveloppe ne correspondait ni à celui de Paul Richard ni à celui de Nino. Ni à celui des autres protagonistes, d'ailleurs. Et le téléphone de Pacciani ? Est-ce que c'était un appel au secours de Nino ? Pamela Casson l'avait écouté sans ciller. Puis lui avait déclaré que pour elle l'histoire était terminée, « Il restera toujours des détails incompréhensibles, aucun dossier ne serait jamais clos autrement, capitaine. Vous allez être bientôt à la retraite, profitez-en. » Sans rien ajouter elle l'avait raccompagné à la porte de son bureau. Arrivée sur le seuil, elle l'avait dévisagé pendant un si long moment que Jacopo en avait été embarrassé. Elle avait alors soupiré et murmuré que selon ses informations, un individu avec un passeport américain correspondant à la description de Battista Montesecco avait embarqué sur le vol Milan-Miami. À l'arrivée, deux hommes l'avaient accueilli et escorté jusqu'à une limousine aux vitres fumées. Jacopo avait attendu, mais Casson n'avait rien dit de plus. Il lui avait alors demandé pourquoi elle avait fait libérer Kadi, ce à quoi elle avait répondu que la jeune femme n'avait rien à faire entre les griffes de Mattotti. Puis, secouant la tête, elle l'avait une fois pour toutes congédié.

Lui-même avait été promu – et mis à la retraite. Il était parti dans le Montana, mais l'hiver y était plus rigoureux qu'il ne s'y attendait, et il n'était pas spécialiste de la pêche dans la glace. Revenu à la Villa Selvaggia, il ruminait. La vie continuait, et il avait le sentiment d'en être exclu. Sa cadette, Lucia, venait de se marier. Une cérémonie organisée par ses filles à la maison, qui avait retrouvé pour un jour ses fastes d'antan. Bella était là. Seule.

Amicale, professionnelle – et distante. Il n'avait pas eu le courage d'inviter Kadi, qu'il continuait de voir pourtant toutes les semaines. L'autre jour, Miles Lemoine était sorti de l'appartement de l'Ivoirienne au moment où il arrivait. Le chien sur trois pattes qui l'accompagnait – un rescapé, encore un – lui avait montré les dents, « Furia, ici. Au pied. » Le capitaine aurait bien montré les dents lui aussi. Il se demandait toujours si c'était le professeur qui avait essayé de l'égorger cette nuit-là. Ce n'était pas la seule question qui restait en suspens à son sujet. Qu'était-il arrivé la nuit où son épouse avait été enlevée ? Son intuition lui disait que dans cet abyme, dans cette poignée de secondes au cours de laquelle la vie de Miles Lemoine avait basculé, le destin de cet homme s'était joué. Il est rare que l'on puisse savoir qui on est vraiment. Sans retour possible. Sans faux-semblant. Qu'avait fait le professeur ? Qu'aurait-il fait lui-même, à sa place ?

Les deux hommes n'avaient pas échangé un mot. *Game over* ? Pour le capitaine, la partie n'était pas terminée.

Lorsqu'on lui avait fait part de la note de Nino sur *Le Printemps* de Botticelli, ce dernier billet que personne à l'époque ne lui avait communiqué, la curiosité l'avait poussé à aller voir le tableau aux Offices. Quelques mois auparavant, un jeune touriste avait improvisé un strip-tease sauvage dans cette salle d'exposition. L'artiste avait toujours le pouvoir de frapper les esprits, cinq cents ans après avoir peint ses Grâces. Jacopo avait été surpris par la splendeur de cette toile qu'il croyait connaître par cœur, tant ses reproductions étaient courantes.

L'or des habits, l'or sur la peau des personnages féminins, l'or de leurs cheveux et sur leurs doigts. En filigrane, en filaments, en cascade ruisselante. L'or au pinceau sur les plis de leurs tuniques transparentes, sur la rondeur des oranges, sur les chevilles nues. Et le noir, le vert noir de la nature tout autour, merveilleuse et foisonnante et mystérieuse. Il s'était approché pour contempler le pied de Mercure, sa chaussure ailée. S'était éloigné pour faire exploser l'œuvre dans son ensemble. Toutes les remarques de Nino étaient conformes à ce qu'il avait sous les yeux. Simplement, les conclusions étaient délirantes. La théorie de la Rose rouge. Le complot des initiés. Pauvre garçon.

Il avait étudié de près les fleurs dont le peintre avait parsemé l'allégorie. Il y reconnaissait myosotis, coquelicots, renoncules, violettes, chicorées. Et les roses que Flore porte dans son giron. Jacopo avait laissé passer deux Japonaises très affairées, puis s'était baissé pour observer, à droite en bas, un magnifique iris aux pieds de Chloris. Il ne s'agissait pas d'un *Iris pallida*, symbole de Florence. La fleur était noire, chargée de venin, pétales frangés comme des ailes de démon. En se relevant Jacopo avait eu l'impression que la terre se dérobait sous ses pieds. La pièce avait tournoyé tandis qu'il tombait au ralenti, *Des lucioles, des étoiles filantes, comme cette nuit-là.*

L'iris noir.

Et si Nino avait vu juste ? Si tout était vrai ?

Nonnie

Mulholland Drive. Cette nuit-là, la dernière. Ma main tendue vers toi, mon amour. J'ai compris d'un coup. Bien sûr, je le savais déjà, mais il y a dans l'existence des instants où le bien et le mal ne sont que ce qu'ils sont et rien n'a plus d'importance parce que tout est déjà arrivé un million de fois avant que ça nous arrive, et alors j'ai vu cette beauté immense du ciel, cette noirceur sans âme, et les étoiles ont commencé à pleuvoir une à une autour de moi, ma main est retombée près de mon corps, c'était comme si j'étais déjà morte alors qu'il me restait tant de chemin à parcourir, et je me suis mise à rire, parce que tout était fini et ça m'a paru comique, cet espoir, cette rage de vivre, et ton visage s'est tourné vers moi. Je me suis écartée et j'ai commencé à descendre la pente raide vers les lumières tout en bas. Je n'avais rien de précis en tête, j'étais simplement envahie par la peine. Je me tenais au bord d'un précipice, juste quelques dizaines de mètres de rocher à pic. Très près, il faut le reconnaître. Tu avais peur que je m'y précipite ? Tu m'y as rejointe et jetée à terre. Nous avons lutté, je t'ai griffé, tu m'as giflée, ça a décuplé mes forces. Mon genou a frappé ton aine, puis j'ai descendu ma main et j'ai attrapé tes couilles dans mon poing fermé. Tu t'es libéré et, me chevauchant, tu m'as serré le cou. Je me suis abandonnée à toi comme lorsque tu me faisais l'amour. Qu'est-ce qui s'est passé dans ta tête ? Tout en continuant de m'étrangler tu as arraché ma culotte, tu as sorti ta queue puis tu m'as pénétrée. Tu me baisais et j'exultais, dos râpé blessé par les cailloux les herbes drues, j'avais réussi à briser le mur qui nous séparait, j'étais de nouveau une femme, ta femme, et vivante, tu étais en moi et tu jouissais tout au fond de mon ventre, une nouvelle promesse, nous ferions un enfant, tout de suite, et nous ressemblerions un jour à ces petits vieux qu'on voit s'aider à traverser la rue. J'avais gagné. Maintenant tu pleurais contre moi, et je pleurais aussi, pas les larmes amères des derniers temps mais des larmes de libération et d'espérance. J'ai embrassé tes lèvres tes yeux tes joues et tes cheveux trempés de sueur, j'ai couvert ton corps de baisers, les mêmes que les premiers temps, t'en souviens-tu ? Quand ils sont sortis du bosquet et qu'ils nous ont entourés tout est allé très vite. Si vite que l'instant d'après il n'y avait plus que ces visages ricanant au-dessus de moi. Et toi. Toi, tu avais disparu.

Mortification, expiation, pénitence. Je connais ton désespoir, je connais ta douleur, mais est-ce sur moi ou sur toi-même que tu as pleuré tout ce temps, dis-moi, mon chéri ? Je suis morte, tu es en vie et tu n'as rien compris aux femmes que tu as baisées après moi, rien compris à ta propre fille non plus, Indiana ne t'appartient pas, elle n'est pas ta propriété, les femmes ne sont pas à vous, vous ne possédez ni nos cœurs ni nos corps, vous ignorez tout de nous alors que nous savons qui vous êtes, et comment faire autrement ? Vous naissez entre nos jambes, petits animaux sourds et aveugles, et nous vous gardons entre nos jambes tout du long, à pousser et remuer comme des petits animaux aveugles et sourds. Comme il nous faut vous mentir, et comme il nous faut vous aimer pour cela, car vous ne connaissez rien à la vie et c'est pourtant vous qui dirigez le monde, ô aveugles, ô sourds, que vous êtes bêtes, que je vous exècre, mais l'ère où nous étions vos complices et vos victimes s'achève. Nous brûlerons nos voiles nous vous jetterons des cailloux comme à des chiens enragés pour contrer cette volonté farouche qui vous habite, cette rage d'anéantir toute beauté tout amour, nous volerons vos armes et lorsque ça deviendra nécessaire – et ça le deviendra, vous ne connaissez que la loi du plus fort ! – nous tirerons sur vous, nous, vos mères, vos filles et vos sœurs, parce que nous en avons assez, vous ne voyez donc pas que le radeau sur lequel les fils de la Terre se tiennent est entouré du noir des ténèbres, de toutes parts les pays sont assiégés par votre faim de pouvoir, vos intérêts, c'est le radeau de La Méduse *en vérité ! Mais le monde nouveau viendra. Il naîtra de mon sang et du tien, il aura mes yeux et ta bouche, dans ses veines battra le sang clair de notre fille et le sang d'ombre de l'homme qui l'a violée. Le monde nouveau viendra et s'appellera H'wwa, Hayya, Eva, qui signifie vivre et donner la vie. Conçue dans la peur et le secret, la fille d'Indiana apportera la lumière, et je serai à ses côtés et la Terre sera l'Éden de nouveau, et les lions dormiront avec les agneaux, les chacals partageront leur nourriture avec les serpents. Je serai près de ces femmes nouvelles et je les guiderai, et nous ôterons de la main de nos amants, de nos fils et de nos frères les armes qui tuent et elles entendront ma voix et me suivront car je suis la Mère, la Nature, la Puissance adorée par l'Univers entier sous mille noms différents, début de toutes choses, maîtresse des éléments, l'origine et le principe des siècles, la suprême divinité. Ma volonté gouverne les voûtes lumineuses du ciel, les souffles puissants de l'océan, le silence lugubre des enfers.*

Notre petite-fille Eva naîtra en mars, mon cher mari, et elle sera la première de ces femmes qui domineront le monde, et avec elles, et par elles, je te le promets, je te le jure, notre Terre sera sauvée.

Légion

Les tambours s'étaient tus. Avant de s'en aller, les deux hommes déposèrent le pavé sur l'autel rocheux, puis d'un geste ample le plus jeune lança la chevelure dans l'arbre le plus proche. Elle y resta accrochée près d'une autre, striée d'un gris devenu vert. Les corbeaux se jetèrent sur les restes du cadavre tandis que Battista Montesecco, tête rasée, habillé d'écarlate, marchait vers le monastère qui les avait accueillis, son père Giovanni et lui.

Une femme à la peau sombre, cheveux flottant sur les épaules, vint vers eux sur le sentier. L'or dans ses habits, l'or sur sa peau, l'or sur ses doigts. En filigrane, en filaments, en cascade ruisselante. L'or au pinceau sur les plis de sa tunique transparente, sur la rondeur de ses seins, sur ses chevilles nues. En les croisant, elle leur demanda leur nom. Et ils répondirent d'une même voix:

– Mon nom est Légion, car nous sommes nombreux.

De leurs bouches sortirent des mouches noires qui allèrent tourner autour de la femme, mais elle souffla et les insectes tombèrent à terre et furent écrasés sous ses pieds. Et le père et le fils feulèrent, des langues de feu s'élancèrent vers la femme qui de son souffle les éteignit, et son rire tinta jusqu'au ciel, et les deux hommes baissèrent la tête, et se couvrant de leurs capuches ils passèrent leur chemin, leurs manteaux plus étroitement drapés autour de leurs corps décharnés.

Dans les profondeurs autour du Temple de Cristal les dragons nageaient. Ils s'arrêtèrent un instant au son du rire de la femme, puis continuèrent de tourner sans bruit.

Cet ouvrage a été composé
par Maury à Malesherbes
et achevé d'imprimer en France
par CPI Bussière
à Saint-Amand-Montrond (Cher)
pour le compte des Éditions Stock
31, rue de Fleurus, 75006 Paris
en avril 2016

Imprimé en France

Dépôt légal : mai 2016
N° d'édition : 02 – N° d'impression : 2022521
87-51-1526/2